Swedish stamp issues attract a good deal of attention and are highly appreciated by philatelists the world over. In addition to the portrait of King Carl XVI Gustaf, shown here with his daughter Crown Princess Victoria, and the two fells, the pictures on these pages portray a number of animals: bear, musk-ox, eider, whimbrel, arctic fox and elk.

Schweden hat eine beachtliche Briefmarkenausgabe — geschätzt von Philatelisten in aller Welt. Hier, außer dem Portrait König Carl XVI. Gustafs mit Tochter Kronprinzessin Victoria und den beiden Gebirgsweiten, eine Reihe Tiermotive: Bär, Moschusochse, Eiderente, kleiner Brachvogel, Polarfuchs und Elch.

La Suède possède un remarquable ensemble de timbres-postes, apprécié des philatelistes du monde entier. Vous découvrez ici, en plus du portrait du roi Carl XVI Gustaf avec sa fille, la princesse héritière Victoria et deux paysages de montagnes, une série de vignettes représentant des animaux: ours, boeuf musqué, eider, petit courlis, renard de montagne et élan.

Kiruna
Luleå
Umeå
Sundsvall
Falun
STOCKHOLM
GOTLAND
Göteborg
ÖLAND
Malmö

BOBBY ANDSTRÖM

Sweden
Schweden
Suède

Legenda

Sverige sett från 810 kilometers höjd med Norge i väster, Finland i öster och Danmark i söder. Bilden har bearbetats av Torbjörn Westin, Satellitbild i Kiruna, med data insamlade av två amerikanska vädersatelliter.

Sweden seen from an altitude of 810 kilometres with Norway to the west, Finland to the east and Denmark to the south. The picture was processed by Torbjörn Westin of Satellitbild, Kiruna, from data gathered by two American meterological satellites.

Schweden aus 810 km Höhe gesehen — mit Norwegen im Westen, Finnland im Osten och Dänemark im Süden. Das Bild ist von Torbjörn Westin — Satellitbild i Kiruna — bearbeitet worden; mit Daten gesammelt von 2 amerikanischen Wettersatelliten.

La Suède vue de 810 km d'altitude avec la Norvège à l'ouest, la Finlande à l'est et le Danemark au sud. Le cliché a été réalisé par Torbjörn Westin, Satellitbild à Kiruna, à partir d'éléments collectés par deux satellites américains de météorologie.

***Malmö** är Sveriges tredje stad i storlek (230 000 innevånare), känd sedan 1100-talet som en betydande handelsplats. I dag är Malmö residens-, garnisons-, industri- och sjöfartsstad, strategiskt belägen vid Öresund, nära den viktiga europeiska kontinenten. Bilden visar Stortorget med Karl X Gustavs staty.*
*Övre bilden till höger: **Ystad** på den svenska sydkusten är en stad med gamla traditioner. I stadens centrala delar finns många imponerande korsvirkeshus från 1500-talet. Bilden under: Klockargården i närheten av Ystad är ett bra exempel på en gammal gård som restaurerats. Här finns restaurang och försäljning av hantverksprodukter av hög kvalitet.*
Föregående uppslag:
Det sydskånska landskapet domineras av odlingsmarker och åkerjordar. Här en blommande klöverodling i byn Hannas nära Ystad, Sveriges sydligaste stad.

Malmö is Sweden's third largest city (population 230,000) and has been known as an important trading centre since the 12th century. Today Malmö is a residential, garrison, industrial and maritime city, strategically located on the Öresund coast close to the important European continent. The picture shows Stortorget and the statue of King Karl X Gustav.
Upper right: Ystad on the Swedish south coast is a town with many ancient traditions. There are a lot of imposing half-timbered houses dating from the 16th century in the town centre. Below: Klockargården close to Ystad is a fine example of an old farm following restoration. There is a restaurant, and high quality craft products are on sale here.
Previous page:
The landscape of southern Scania is dominated by arable land and tilled fields. The picture shows a field of clover in bloom in the village of Hannas.

Malmö ist Schwedens drittgrößte Stadt (230 000 Ew.) seit dem 12. Jh. als bedeutender Handelsplatz bekannt. Heute ist Malmö Industrie-, Seefahrts- und Provinzhauptstadt mit strategisch wichtiger Lage am Öresund, nah zum europäischen Festland. Das Bild zeigt den Großen Markt (Stortorget) mit dem Reiterstandbild Karls X. Gustav.
Bild oben rechts: Ystad an der schwedischen Südküste ist eine Stadt mit Tradition. In der Stadtmitte stehen viele imponierende Fachwerkbauten aus dem 16. Jh. Unteres Bild: der Küsterhof bei Ystad, ein beispielhaft renovierter alter Hof, mit Verkauf von Handwerksprodukten hoher Qualität.
Vorhergehende Seite:
Die Landschaft Südschonen wird vom Ackerbau beherrscht. Hier ein blühendes Kleefeld bei Ystad — Schwedens südlichster Stadt.

Malmoe est la troisième ville de la Suède par le nombre de ses habitants (230 000) et connue dès le 12e siècle en tant que centre commercial important. Aujourd'hui, Malmoe est la résidence du Gouverneur de la province, une ville de garnison, un centre industriel et une cité portuaire. Elle occupe un point stratégique sur le Sund, près du continent européen. Sur la photo, on voit la Grand-Place avec la statue de Karl X Gustav.
Au-dessus à droite: Ystad, sur la côte méridionale de la Suède, est une ville aux traditions anciennes. Au centre de la cité, on voit encore de superbes maisons à colombages du 16e siècle. Au-dessous: Klockargården près d'Ystad est un bon exemple de vieille ferme restaurée. On y trouve un restaurant et une boutique où se vendent des produits artisanaux de qualité.

Det skånska kulturlandskapet när det är som vackrast, ett böljande sädesfält med den typiska skånska pilevallen.

The farm landscape of Scania at its most beautiful; a field of waving corn and a typical willow pasture.

Das schönste Gesicht der Kulturlandschaft — ein wogendes Getreidefeld mit den typischen Weidenwällen Schonens.

La campagne scanienne dans ses plus beaux atours: un champ ondoyant avec les saules typiques de la région.

I Skåne finns många imponerande slott och byggnadsminnesmärken. ***Svaneholms slott*** *vid Svaneholmssjön är en fyrlängad renässansborg i tegel uppförd på 1500-talet. Slottet ärvdes 1782 av Rutger Maclean som genom en rad reformer lyckades förbättra godsets ekonomi. Hans metoder blev uppmärksammade och inspirerade till en stor allmän jordreform i Sverige. I dag innehåller slottet ett intressant museum och en välbesökt restaurang.*
Till höger universitetsstaden ***Lunds domkyrka,*** *Sveriges förnämsta romanska byggnadsverk. Den är uppförd som en treskeppig basilika med krypta, tvärskepp, kor med absid och dubbeltorn. Den började byggas i början av 1100-talet och invigdes 1145. Kyrkan har senare byggts till och restaurerats vid flera tillfällen.*

There are many imposing castles and protected historical buildings in Scania. Svaneholm Castle on Lake Svaneholm is a rectangular Renaissance brick castle dating from the 16th century. It was inherited in 1782 by Rutger Maclean, who introduced a number of reforms and succeeded in improving the financial situation of the estate. His methods attracted attention and prompted a major general land reform in Sweden. The castle now contains an interesting museum and a popular restaurant.
To the right the cathedral of the university town of Lund, Sweden's principal Romanesque building. It is built in the form of a triple-nave basilica with a crypt, transepts, a choir with apse and twin steeples. The foundations were laid in the beginning of the 12th century and the cathedral was consecrated in 1145. It has been extended and restored several times.

In Schonen gibt es viele imponierende Schlösser und Baudenkmäler. Das Schloß Svaneholm am gleichnamigen See ist eine quadratisch gebaute Festung aus Ziegelsteinen, die im 16. Jh. gebaut wurde. 1782 erbte Rutger Maclean das Schloß. Es glückte ihm durch eine Reihe Reformen die Ökonomie des Gutes zu verbessern. Seine Methoden fanden Beachtung und führten zu einer großen allgemeinen Bodenreform in Schweden. Heute beherbergt das Schloß ein interessantes Museum und ein gutbesuchtes Restaurant.
Rechts der Dom der Universitätsstadt Lund — Schwedens bestes romanisches Bauwerk. Er ist als dreischiffige Basilika mit Krypta, Chor mit Absis und Doppelturm errichtet worden. Mit dem Bau wurde Anfang des 12. Jh. begonnen. 1145 wurde er eingeweiht. An der Kirche wurden mehrere Male Anbauten und Restaurationen vorgenommen.

En Scanie se dressent bien des châteaux et des édifices imposants. Le château renaissance de Svaneholm situé sur le lac de Svaneholm est une forteresse de briques en forme de rectangle, élevé au 16e siècle. Rutger Maclean qui en a hérité en 1782, a réussi à améliorer l'économie du domaine, à la suite d'une série d'amendements. Ses méthodes ont retenu l'attention de l'Etat et ont inspiré une réforme agraire générale en Suède. Aujourd'hui, le château renferme un intéressant musée et un restaurant très fréquenté.
A droite, la cathédrale de la ville universitaire de Lund. Cette église est le plus noble bâtiment de style roman du pays. Elle affecte la forme d'une basilique à trois nefs avec crypte et transept, choeur avec abside et deux tours. L'érection commença au début du 12e siècle et l'inauguration eut lieu en 1145. Par la suite, l'église fut modifiée et restaurée plusieurs fois.

Carmelan

Simrishamn på skånska Österlen har upplevt blomstringstider särskilt under de stora sillfiskeperioderna. I dag är Simrishamn centralort för den omgivande bygden, och fortfarande landas här fiskfångster från Östersjön. Sommartid är hamnen livligt frekventerad av nöjesseglare som får god service i den nybyggda småbåtshamnen.*

Simrishamn in Österlen, Scania, has had several eras of prosperity, especially during the great herring fishing periods. Simrishamn is today the provincial capital where catches of fish from the Baltic Sea are still landed. In the summer the harbour is frequented by large numbers of yachtsmen who find excellent service in the newly-built marina.

Die Stadt Simrishamn, im schonischen Österlen, hatte ihre Blüte zu Zeiten des Heringfangs. Sie ist Hauptort des umgebenden Landes und noch immer wird der auf der Ostsee gefangene Fisch hier gelandet. Zur Sommerzeit ist der neugebaute Jachthafen Tummelplatz für viele Segler, die hier guten Service finden.

Simrishamn à Österlen en Scanie a vécu des temps très prospères, particulièrement quand on pêchait le hareng en grande quantité. Aujourd'hui, Simrishamn est le centre de la région et demeure toujours un port de pêche important de la Baltique. Durant l'été, le port est très fréquenté par les plaisanciers qui trouvent un service de qualité dans la marina nouvellement construite.

*Filmskådespelerskan **Greta Garbo,** (1905–1990) samt film- och teaterregissören **Ingmar Bergman** (f 1918) är två av svensk films största namn. Greta Garbo föddes på Söder i Stockholm. Hon blev genom sin skönhet och särpräglade skådespelartalang en legend redan under sin livstid. Hennes mest kända filmer är Anna Karenina, 1935, Kameliadamen, 1937 och (här) Drottning Kristina, 1933.*
Ingmar Bergmans filmkonst har varit stilbildande för en lång rad filmskapare men få har nått upp till hans konstnärliga höjder. Bergmans unika framgångar började med filmen Hets, 1944, och kröntes med den vackra och självbiografiska Fanny och Alexander, 1982, (bilden under).

The film actress Greta Garbo (1905–1990) and the screen and stage director Ingmar Bergman (born 1918) are two of Sweden's greatest screen personalities. Greta Garbo was born in Stockholm. Her beauty and exceptional acting skill made her a legend in her lifetime. Her best-known films are *Anna Karenina, Camille* and *Queen Christina* (picture).
Ingmar Bergman's screen art has inspired a number of film directors. Bergman's unparalleled successes began with the film *Hets,* 1944, and were crowned with the beautiful and autobiographical *Fanny and Alexander* in 1982 (picture below).

Die Filmschauspielerin Greta Garbo (1905–1990) und der Film- und Theaterregisseur Ingmar Bergman (geb. 1918) sind zwei der größten Namen des schwedischen Films. Greta Garbo wurde im Stockholmer Stadtteil Söder geboren. Sie wurde auf Grund iher Schönheit und ihres ausgeprägten Schauspielertalents schon zu Lebzeiten eine Legende. Ihre bekanntesten Filme sind: *Anna Karenina, die Chamäliendame* und (hier) *Königin Kristina.*
Ingmar Bergmans Filmkunst war für eine lange Reihe Filmschaffender stilbildend. Bergmans einmalige Erfolge begannen mit dem Film *Hets,* 1944, und wurden 1982 mit dem selbstbiographischen *Fanny und Alexander* gekrönt. (Bild darunter).

La fameuse actrice Greta Garbo (1905–1990) ainsi que le metteur en scène Ingmar Bergman (1918) sont les deux plus grands noms du cinéma suédois. Greta Garbo est née à Stockholm. Par sa beauté et son immense talent elle est devenue une légende de son vivant déjà. Ses films les plus connus sont *Anna Karenine, La dame aux camélias* et (ici) *La Reine Christine.*
L'art cinématographique d'Ingmar Bergman est devenu le modèle de toute une lignée de cinéastes. Ses premiers succès remontent au film *Tourmentes,* 1944, et sont couronnés par l'autobiographique *Fanny et Alexandre* 1982 (photo ci-dessous).

An English version follows on page 21.
Eine deutsche Version beginnt auf Seite 89.
Traduction française en page 93.

Sverige — ”Du gamla, du fria, du fjällhöga Nord!”

Om man fattar en jordglob med båda händerna så att vänstra handen täcker Nordamerika och den högra Ryssland så hittar man lätt Sverige när man låter blicken glida över den europeiska landmassan upp mot Skandinavien. Närmaste grannar är Norge i väster, Finland i öster och Danmark i söder.

Om detta land skrev fornforskaren och folkloristen Richard Dybeck en dikt till en folkmelodi från Västmanland:

Du gamla, du fria, du fjällhöga Nord,
du tysta, du glädjerika sköna!
Jag hälsar dig vänaste land uppå jord,
din sol, din himmel, dina ängder gröna.

Orden är kända för varje svensk eftersom de utgör första strofen i nationalsången. Dybecks dikt är en fin sammanfattning av Sverige, ett land med gammal historia. Sverige kan glädja sig åt mer än sekellång fred, en lång krigisk historia förbyttes i alliansfri neutralitet, och kan liknas vid en neutral ö mitt i ett hav av pakter och stormaktsintressen. Men detta betyder inte att Sverige skulle vara isolerat från den övriga världen. Regeringen gav hösten 1990 klara signaler om att Sverige skall anslutas till EG, den gemensamma europeiska marknaden. Sverige har en betydande export och import och har som mål att avsätta en procent av bruttonationalprodukten till ulandshjälp. Sverige strävar efter att föra de små staternas talan i Förenta Nationerna enligt en tradition som sträcker sig långt tillbaka i tiden. I Sverige har det alltid funnits en öppen dörr för den som söker en fristad och landet gjorde under slutet av andra världskriget en betydelsefull insats med de ”vita bussarna” för att rädda överlevande från koncentrationslägren.

Renjägare, bönder, hantverkare

Det skulle i detta sammanhang föra för långt att repetera den svenska historien. Här skall bara konstateras att de första fiskarna och jägarna anlände till Skånekusten i söder efter den senaste inlandsisens avsmältning cirka 14 000—7 000 år f Kr. Renjägare har funnits här sedan 9 000 f Kr. Bohuskusten befolkades runt 7 000, Mellansverige mellan år 5 000 och 3 000. Samtidigt lärde man sig att bruka jorden. 1 500 år f Kr använde man vid sidan av stenåldersredskapen också verktyg och vapen i brons. Tusen år senare importerades de första järnföremålen. Det är intressant att notera detta i dag när Sveriges viktigaste exportvaror är stål, malm och verkstadsindustriprodukter. Från det land där enkla jägare köpte sig knivar och yxor av järn fraktas nu Volvo- och Saab-bilar till alla världens länder, främst bilens hemland USA.

Sverige är till ytan ett av Europas största länder — cirka 450 000 kvadratkilometer. Befolkningsmässigt kommer Sverige långt ner på skalan, passerade år 1970 8 miljoner, en fördubbling från 1863. I dag är siffran 8,3 miljoner vilket gör att innevånarna inte behöver trängas — varje kvadratkilometer delas av cirka 20 svenskar.

Utvandring — invandring

Befolkningstillväxten har påverkats på olika sätt. När Sverige under senare hälften av 1800-talet upplevde en rad missväxtår utvandrade drygt en miljon människor, de flesta till Nordamerika. När emigrationen var som störst reste i genomsnitt 38 000 människor om året i väg över havet. Författaren Vilhelm Moberg har skildrat denna väldiga befolkningsavtappning i en berömd romansvit (Utvandrarna, Invandrarna, Nybyggarna och Sista brevet till Sverige) som också filmats. Efter 1930 och i synnerhet efter andra världskriget har invandringen varit större än utflyttningen. I början av 1970-talet svängde det igen — 29 000 kom hit, 40 000 reste i väg. Sedan dess har siffrorna åter vänt — mellan 35 000 och 40 000 har invandrat årligen medan utvandringen pendlat mellan 20 000 och 30 000. Tittar man i invandringsstatistiken kommer man snabbt underfund med att de nordiska invandrarna toppar listan, 1981 fanns det 171 994 finländare i Sverige. På andra plats låg visserligen Jugoslavien med 38 771 invandrare, men sedan kommer Danmark med 28 305 och Norge med 25 352 som alltså tillsammans avsevärt förstärker det nordiska inslaget. Under de senaste åren har flyktingströmmarna från olika oroshärdar världen över till Sverige ökat högst påtagligt.

Industrialisering

Från att ha varit ett av Europas fattigaste länder har Sverige under tiden efter andra världskriget utvecklats till en välfärdsstat med hög levnadsstandard, kanske en av världens högsta.

De klassiska bondgårdarna med sin traditionella förening av jordbruk och boskapsskötsel har förändrats och starkt minskat i antal. I dag satsar man på antingen växtodling eller boskap, på stora brukningsenheter och djurfabriker med lönsamhet som första mål. Bakom förvandlingen av det svenska samhället ligger den mycket omfattande industrialiseringen. Genom den gradvisa rationaliseringen av jordbruket, utbyggnaden av järnvägsnätet (främst från 1870-talet) uppstod ett befolkningsöverskott på landsbygden. Människorna sökte sig till städer och brukssamhällen, där de kunde få arbete i den växande industrin — i gruvor, skogshantering, sågverk, massafabriker och verkstäder. Under hela 1900-talet har emellertid jordbruk och skogsbruk stegvis minskat sin andel av sysselsättningen. I stället ökade den svenska tillverkningsindustrin fram till 1960-talet då den nådde sin höjdpunkt. Därefter kom en förändring — Sverige inträdde i en postindustriell period som präglas av att administration och serviceyrken växer i omfattning på den traditionella industrins bekostnad. En internationell jämförelse visar att det bara finns ett halvt dussin länder som har en större servicesektor än Sverige.

Välfärdssamhället

Under en lång följd av år (1932–1976) leddes Sverige av socialdemokratiska regeringar, som hade en stark ambition att bygga upp ett så kallat folkhem med social trygghet som främsta mål. Och ansträngningarna bar frukt. Hand i hand med den industriella utvecklingen skedde en ökning av välståndet och dess spridning i allt bredare folkgrupper. Till detta bidrog också en mycket stabil situation på arbetsmarknaden. Ett avtal mellan Svenska Arbetsgivareföreningen och Landsorganisationen 1938 banade väg för ett i huvudsak lugnt och tryggt näringsliv till glädje för såväl företagare som anställda.

Men i likhet med många andra länder har Sverige råkat ut för ekonomiska problem som påtagligt förvärrades i samband med de internationella oljekriserna. Sverige har ett högt oljeberoende och prishöjningarna på världsmarknaden slog hårt mot den svenska ekonomin. Arbetsmarknaden utsattes också för påfrestningar. De goda åren hade skapat förväntningar på ständigt stigande löner och förmåner. Underskott i statens affärer och en negativ handelsbalans har under en följd av år ökat den svenska upplåningen utomlands. Likt många av världens rika länder handlar Sverige och svenskarna gärna kapitalvaror från omvärlden. I dag är Sverige efter USA världens ledande land när det gäller till exempel TV och videoutrustningar.

Politisk förändring

När statsminister Olof Palme i valet 1976 förlorade makten till centerpartisten Thorbjörn Fälldin i spetsen för en borgerlig koalitionsregering togs det som tecken på ett behov av förändring och förnyelse av det politiska livet i Sverige. Den borgerliga regeringsperioden varade till 1982 när Olof Palme på nytt blev landets statsminister. Efter valförlusterna följde en lång ideologisk debatt inom det socialdemokratiska partiet. Tendenser i de senaste valen har visat att socialdemokraterna haft svårigheter att som tidigare engagera de bredare lagren i samhället. Många unga har sökt sig till andra politiska grupperingar som bland annat vill slå vakt om naturtillgångarna och kämpa för en bättre miljö. Politiskt är framtiden oviss, en rad frågor har splittrat samhället i två block. En av dessa frågor har gällt införandet av så kallade löntagarfonder. Det rör sig om kapitalbildningar som får sina medel genom uttag av avgifter i vinstgivande företag. Idén är att fonderna genom aktieköp på börsen skall förse näringslivet med kapital. Från den borgerliga oppositionens sida har hävdats att fonderna har införts för att socialisera produktionsmedlen och ge fackföreningarna möjlighet att i framtiden överta näringslivet.

Även om konfrontationerna i det politiska livet har varit hårda är den allmänna sociala situationen i Sverige stabil. Stundom klagas över höga skatter men det kan i gengäld sägas att medborgarna får åtskilligt för sina skattepengar. Och även om systemet har sina brister, har Sverige trots allt effektiva lagar för barnomsorg, allmän pensionering, sjukvård och en rad andra sociala förmåner.

Men djupt skakad blev hela nationen när det sent på natten den 1 mars 1986 meddelades att statsminister Olof Palme fallit offer för en attentatsmans kulor då han tillsammans med sin hustru Lisbet till fots var på hemväg efter ett biobesök. Budet om statsministerns tragiska öde uppmärksammades i hela världen. Hans begravning utformades till en manifestation för fred och rättvisa, helt i linje med den strävan som han så oförtröttligt gav uttryck för under sin livstid. Olof Palme efterträddes av Sveriges vice statsminister Ingvar Carlsson.

Kungadömet Sverige

Sverige är sedan 1544 ett ärftligt kungadöme. Statschef är kung Carl XVI Gustaf, förmäld den 19 juni 1976 med Silvia, född Sommerlath, nu Sveriges drottning. Familjen har tre barn — kronprinsessan Victoria, prins Carl Philip och prinsessan Madeleine. Kungen och drottningen har sina arbets- och audienslokaler i Stockholms slott. Privat bor familjen i Drottningholms slott utanför staden. Kung Carl Gustaf har ingen reell politisk makt i dagens Sverige. Hans viktigaste uppgift är att tillsammans med drottningen representera landet. Omvittnade är deras framgångsrika statsbesök i USA, Japan, Sovjet och en lång rad europeiska länder.

Kung Carl Gustaf har intresserat sig för en rad samhällsfrågor utanför politiken. Särskild vikt har han lagt vid natur- och viltvård, även på det internationella planet. I samband med sitt bröllop bildade kungaparet en fond till förmån för handikappad ungdom. Varje år har fonden delat ut medel till behövande ungdomar.

Kungadöme och demokrati — hur fungerar detta i praktiken? Svar: alldeles utmärkt. Trots att det socialdemokratiska partiet har monarkins avskaffande på sitt program är det i dag en politisk omöjlighet att försöka ändra på denna ordning. Majoriteten av svenska folket vill bevara monarkin, det framgår med all tydlighet när kungaparet gör sina resor i riket. Officiella besök i de olika länen kallas Eriksgator, en sorts kungliga inspektionsresor med stor folklig uppslutning, som anknyter till den medeltida ordning där kungen lät sig väljas av varje provins för sig. Då blir det fest med allmän flaggning, medborgaruppvaktningar, besök på företag och institutioner och mängder av andra arrangemang.

— Människor vill gärna visa vad de åstadkommer i sina arbeten och kan vara stolta över, sade kung Carl Gustaf vid ett tillfälle när han fick frågan om Eriksgatorna fortfarande har praktisk betydelse.

Av de årligen återkommande evenemangen med den kungliga familjen är Nobelfestligheterna i december de förnämsta. Vid dessa tillfällen brukar också kungens populäre farbror prins Bertil och prinsessan Lilian delta. Även kungens syster prinsessan Christina fru Magnuson finns med vid prisutdelningen i Stockholms konserthus och galamiddagen i Stadshuset.

Industri och handel

Utanför denna glansfulla värld finns en vardag — ett idogt producerande och arbetande Sverige som strävar för försörjning, hem och familj. De tio största företagen är Volvo, Electrolux, ASEA, Saab-Scania, SKF, Sandvik, Atlas Copco, Alfa Laval, Fläkt och Tetra Pak. Samtliga svarar för en viktig export till omvärlden. Till detta skall läggas den mycket betydande skogsindustrin, stål- och gruvföretagen och en lång rad andra högt specialiserade företag som gjort Sverige känt i världen. Ett exempel på ett sådant företag är Hasselblads i Göteborg som tillverkar kameror. Företagets produkter fick världsrykte när de amerikanska astronauterna tog sina fantastiska rymdbilder med just Hasselbladskameror. En av dessa kameror lär för övrigt fortfarande snurra som en satellit i rymden, tappad under en expedition högt över jorden.

På en rad områden som sträcker sig från mikroelektronik till bioteknik har svenska företag haft betydande framgångar som i dag bidrar till landets exportintäkter. Fyra stora företag med inriktning på elektronik — Ericsson, Philips Svenska, IBM Sverige och Luxor har tillsammans en årsomsättning på närmare 30 miljarder kronor och 70 000 årsanställda. Samtliga fyra företag har framställt konkurrenskraftiga produkter som uppskattas och köps runt om i världen.

På exportsidan är Sveriges viktigaste handelspartner Tyskland, Storbritannien, Norge, Danmark, Finland, USA, Frankrike, Nederländerna och Italien. Till dessa länder sänder Sverige bland annat papper, papp och transportmedel — det vill säga Volvo- och Saab-bilar. På importsidan är Tyskland, Storbritannien, USA, Finland, Norge, Danmark, Saudi-Arabien, Frankrike, Nederländerna och Japan de viktigaste länderna. Bilar, mineralolja, kontorsmaskiner och TV-apparater dominerar importen. Intressant är också att notera att Sverige under senare år har lyckats få en rad nya handelspartner, däribland Kina som allmänt betraktas som en framtidsmarknad för svensk export. Det finns affärer som kommit till stånd just för att Sverige tillhört de neutrala länderna i världen, en viktig omständighet som ibland glömts bort i debatten.

Skyddet av naturen

Men livet handlar inte enbart om affärer, arbete och ekonomi. Det finns mycket annat som på ett högst påtagligt sätt bidrar till en hög livskvalitet. Sverige har naturtillgångar av omistligt värde — en natur som kanske är den vackraste i världen. Här finns fortfarande rena sjöar och vattendrag, orörda urskogar och fjällområden — kort sagt ett naturkapital som många andra länder saknar. Sveriges huvudstad Stockholm med drygt en miljon invånare omges av en natur och en skärgård som saknar motstycke. Mer än 25 000 öar och skär bildar ett rekreationsområde som räcker till för alla som drömmer om en avskild vik eller badklippa.

Men man måste tyvärr också konstatera att det finns faktorer som utgör ett hot mot denna oskattbara natur. Luftföroreningar från industrier och trafik bidrar till den försurning som hotar sjöar och skogar. En stor del av detta gift förs dessvärre in med vind och vatten från våra grannländer i söder, öster och väster. Men ett växande opinionstryck i Europa inger numera vissa förhoppningar för framtiden. Man inser att miljöförstöringen även är ett internationellt problem som måste lösas i samverkan.

Det militära försvaret

En annan källa till oro i dagens Sverige är de kränkningar av svenskt territorium som görs av främmande makter. Östersjön som tidigare brukade kallas ”Fredens hav” har länge varit en uppladdningsplats för stormakterna, en bister verklighet för de svenska försvarskrafterna. Gång på gång har Sverige kränkts av främmande undervattensfartyg som närgånget studerat hamnar och försvarsanläggningar. De svenska resurserna att effektivt bevaka den 7 642 km långa kusten är små, i stället har regeringen försökt bemästra problemen på diplomatisk väg. Det finns dock en betydande opinion i Sverige som tycker att ansträngningarna för att få slut på dessa allvarliga intermezzon varit alltför försiktiga. Man kan bara uttrycka en förhoppning att Sverige skall få leva i fred och att den politiska förändring som bl a har fått Sovjetunionen att lova att skrota alla kärnvapenbärande fartyg i Östersjön radikalt skall förändra situationen.

Naturens rikedom

Under de resor som jag har gjort genom Sverige för att sammanställa denna bok, har det gång på gång slagit mig hur skönt och omväxlande landet är. Skånes böljande sädesfält, Västkustens blankslipade klippor mot ett blånande hav, Sörmlands yppiga grönska, Värmlands djupmörkgröna skogar — här finns nästan alla landskapstyper representerade.

Att göra en resa längs Europaväg 4 mot norr är också en upplevelse. Kustområdena mot Bottenhavet och då särskilt Höga kusten bjuder på storslagna och hänförande vyer. Det verkligt dramatiska möter man i Västerbottens och Norrbottens inland — samernas vidsträckta domäner. Här strövar älg och ren fritt, här jagar björn och järv. För den friluftsälskande finns här allt man kan önska sig vinter som sommar. Vem kan motstå tjusningen att på skidor glida nerför fjällsluttningarna eller vaska guld i Lannavaaras ödemarker. Här finns alla möjligheter till värdefull rekreation, vår lagfästa allemansrätt gör naturen tillgänglig för alla. Men det är också extra viktigt att man inte sliter för hårt på den natur som skall gå i arv till kommande generationer, dessa Europas sista vildmarker har oersättligt värde när Centraleuropas skogar och träd dör i bil- och industrigifternas spår.

Turistlandet

Den som första gången kommer till Sverige, landar troligen på Arlanda, Stockholms flygplats fyra mil norr om huvudstaden. Andra inkörsportar är hamnarna Malmö och Trelleborg i Skåne eller Sveriges andra stad Göteborg på västkusten. Det finns goda kommunikationsmöjligheter i alla riktningar, även för den som inte turistar i bil. Sverige har god vägstandard och i likhet med den övriga världen — förutom Storbritannien och några få länder till — råder det högertrafik.

Inkvarteringen vållar knappast några bekymmer vare sig man väljer de stora hotellen eller mindre anläggningarna. Stockholm har under senare år fått flera nya storhotell.

Maten i Sverige

Den svenska maten är värd ett eget kapitel — här rör vi oss på smörgåsbordets hemmadomäner. Men skall sanningen fram är svenskarna numera internationaliserade i sina matvanor, ett resultat av en ökad invandring och turism. Stockholm och landet i övrigt kan bjuda på både speciellt svensk mat och måltider av mera internationellt slag. Huvudstaden stoltserar med en handfull restauranger, internationellt uppmärksammade i matbibeln Guide Michelin. Ett veritabelt mat-, kultur- och nöjestempel är det stora hus i Stockholms centrum som hyser Kungliga Teatern, det vill säga Stockholmsoperan. Där bjuds opera och balett i den del som vetter mot Gustav Adolfs torg och Arvfurstens Palats. I den andra delen finns Operakällaren, en välkänd restaurang av bästa märke. Här huserar hovtraktören Werner Vögeli tillsammans med många skickliga kockar. Vögeli, född i Schweiz, är numera den svenske kungens leverantör av galamåltider och har specialiserat sig på svensk mat. Med säkert grepp och sinne för kvalitet har han återupptäckt genuina inhemska råvaror och placerat dem som delikatesser på Operakällarens meny. Naturligtvis finns här också en vinkällare av yppersta klass. Ytterligare en förnämlig restaurang är Ulriksdals Värdshus, några minuters bilväg norr om staden. En trevlig tradition på detta fina värdshus i närheten av slottet Ulriksdal är flaggceremonin vid solens nedgång. Flaggan halas och nationalsången sjungs stående av närvarande gäster.

Längst upp i norr

Förflyttar vi oss med SAS eller Linjeflygs plan till norra Sverige och landar i gruvmetropolen Kiruna, vill jag rekommendera ett besök i det lilla närbelägna samhället Jukkasjärvi. Här finns förutom en intressant kyrka med en berömd altarmålning ett värdshus som kan bjuda på exotisk svensk mat: lax och ren i mycket förföriska former. Här ges också tillfälle till dramatiska forsfärder på jätteflottar och ödemarksturer med jakt och andra äventyr på programmet.

Från Kiruna kan man göra en hisnande bilfärd rakt in i Sveriges vackraste fjällområde. Vägen går till Riksgränsen där det finns ett toppmodernt och bekvämt hotell. Härifrån når man lätt till den nordnorska staden Narvik, isfri utskeppninghamn för den malm som bryts i svenska gruvor.

Den omtalade midnattssolen är också verklig. Den som besöker det nordligaste Sverige tidigt på sommaren får uppleva att det aldrig blir mörkt. Man behöver inte heller frukta myggorna. Visst finns det ibland gott om dessa fridstörare men de kan hållas på avstånd med lämpliga preparat och en lövad björkkvist.

Musik och museer

För kulturvänner är det väl sörjt under Sverigebesöket. Den som vill uppleva sensationen att lyssna till en Mozartopera i en 1600-talsteater, för övrigt världens äldsta nu bevarade, skall söka sig till Drottningholmsteatern utanför Stockholm. Solister och aktörer från Stockholmsoperan och internationella operahus uppträder här. I detta sammanhang skall man inte glömma att titta på Drottningholms slott och den vackra parken i omedelbar närhet av teatern. Här bor den kungliga familjen. Men utsikterna att få se kung Carl Gustaf, drottning Silvia eller deras barn är små under sommarhalvåret. De har då flyttat till slottet Solliden på Öland. Det finns ett mycket bra alternativ till Drottningholmsteatern — norr om Stockholm ligger Confidencen alldeles i närheten av tidigare nämnda Ulriksdals värdshus. Här ges intressanta teaterprogram och konserter med goda artister i en inspirerande gammal kulturmiljö.

Den som intresserar sig för konst får sitt lystmäte i Stockholms museer. En intressant upplevelse, vid sidan av Nationalmuseum och Moderna Museet bjuds man på i Millesgården som visar verk av skulptören Carl Milles, känd i USA för sina monumentala verk. Här finns många av skisserna och originalen till hans världsberömda skulpturer. Ett annat uppskattat friluftsmuseum av folkloristiskt slag är Skansen på Djurgården i Stockholm. Här har det gamla Sverige bevarats — till exempel boningshus och byggnader av stort kulturhistoriskt värde.

Regalskeppet Vasa

En av Stockholms stora attraktioner vid sidan om Skansen är Vasamuseet som innehåller ett bärgat krigsskepp från 1628. Dess historia är magnifik men tragisk. Det rör sig om ett kungaskepp som förliste på sin jungfrutur. Man hann bara segla någon distansminut innan en kastby vräkte omkull fartyget som omedelbart sjönk med hela sin besättning. Det bärgades 1961 efter att några år tidigare ha hittats på Strömmens botten av marinarkeologen Anders Franzén. Regalskeppet Vasa är en sensation som varje år samlar skaror av besökare från världens alla hörn, en marin klenod som bevarats genom århundradena tack vare att det inte finns träförstörande skeppsmask i Strömmen.

I denna snabba färd genom Sverige måste av utrymmesskäl utelämnas många intressanta företeelser som jag gärna hade velat berätta om, landet låter sig inte fångas på några korta sidor. Min förhoppning är att orden i kombination med mina Sverigebilder skall locka till ett besök eller fungera som ett minne från en genomförd visit. Så mycket kan jag lova — den som kommer hit skall själv upptäcka att landet är just så fritt och fjällhögt som nationalsången beskriver. Om man till detta lägger en stor gästfrihet kanske vi får tillfälle att en dag säga SKÅL OCH VÄLKOMMEN! Eller SKÅL och VÄLKOMMEN TILLBAKA!

Sweden — "Thou ancient, thou freeborn, thou mountainous North!"

Take a globe, cover North America with the left hand and Russia with the right and you can find Sweden with no difficulty by letting your gaze wander northwards over the European continent towards Scandinavia. Our nearest neighbours are Norway to the west, Finland to the east and Denmark to the south.

It was about this country that the antiquarian and folklorist Richard Dybeck wrote in the poem he set to a folk song from the western province of Västmanland:

Thou ancient, thou freeborn,
thou mountainous North,
In beauty and peace our hearts beguiling,
I greet thee, thou loveliest land on earth,
Thy sun, thy skies, thy verdant meadows smiling,
Thy sun, thy skies, thy verdant meadows smiling.

Every Swede is acquainted with these words as they are the first verse of the national anthem. Dybeck's poem is an excellent description of Sweden, a country with a long history. Sweden is fortunate to have enjoyed peace for a century; its long and belligerent past was replaced by a policy of non-aligned neutrality, and the country is now like an island of neutrality in a sea of pacts and Great-Power interests. However, it does not follow that Sweden is isolated from the rest of the world. In the autumn of 1990 the government clearly indicated that Sweden is to join EEC, the European Common Market. The country has considerable exports and imports and aims to set aside one per cent of its gross national product to fund aid for the developing countries. There is also a long-standing tradition that Sweden acts as spokesman for small countries in the United Nations. There has always been an open door in Sweden for those seeking asylum, and in the closing months of World War II a magnificent effort was made with a fleet of white-painted buses to snatch survivors from various concentration camps.

Reindeer hunters, farmers, craftsmen

This is not the place for a lengthy résumé of Swedish history, but it can be mentioned that the first fishers and hunters landed on the coast of Scania in the south when the inland ice cover last melted between about 14,000 and 7,000 B.C. Reindeer hunters have been active here since 9,000 B.C. and people settled on the Bohus coast about 7,000 and in central Sweden between 5,000 and 3,000 B.C. The art of husbandry began to develop simultaneously. In 1,500 B.C. implements and weapons of bronze were being used alongside their Stone Age forerunners and the first iron goods were imported a millennium later. It is interesting to note that steel, ore and engineering products are today Sweden's leading exports. The country where humble hunters formerly bought knives and axes of iron is now supplying Volvo and Saab cars to the markets of the world, and chiefly to the USA, the home of the automobile.

Geographically Sweden, with its 450,000 sq. kilometres, is one of Europe's largest countries. Rated according to its population, however, it comes well down on the list, attaining 8 million in 1970 from 4 million in 1863. Today's figure is 8.3 million, which means that with only 20 Swedes per square kilometre there is no risk of overcrowding.

Emigration — immigration

Several factors influenced the population development. When Sweden suffered a series of crop failures in the second half of the 19th century more than a million people left the country, the majority of them for North America. When the emigration wave reached its peak an average of 38,000 people a year found their way across the Atlantic. This serious depletion of the population was described by the writer Vilhelm Moberg in his famous quartet of novels (The Emigrants; Unto a Good Land; The Settlers; Last Letter Home) which has also been made into a film. Since 1930, and more especially since World War II, immigration has been greater than emigration; but in the early 1970s the tide turned again, when 29,000 people came to Sweden and 40,000 left. It has turned yet again since then, with the number of immigrants reaching between 35,000 and 40,000 a year while emigration has been fluctuating between 20,000 and 30,000. A glance at the immigration statistics shows that people from the Nordic countries head the list — in 1981 there were 171,994 Finns in Sweden. Admittedly the 38,771 immigrants from Yugoslavia held second place, but the 28,305 from Denmark and 25,352 from Norway helped to strengthen the total Nordic contingent. The last few years have seen a considerable swelling of the influx of refugees from the world's various trouble spots.

Industrialization

From having been one of the poorest countries in Europe, Sweden has developed since World War II into a Welfare State with a high standard of living, perhaps one of the highest in the world.

Traditional farms with their time-honoured combination of agriculture and cattle breeding have changed character and also declined sharply in number. Nowadays farmers concentrate either on crops or cattle; large-scale farm units and livestock plants whose primary consideration is profitability. The transformation of the Swedish social structure was brought about chiefly by the extensive industrialization of the country, and thanks to the gradual rationalization of agriculture and the development since the 1870s of the railway network, a rural population surplus ensued. People drifted to the cities and industrial centres to find jobs in the burgeoning industries, the mines, forests, sawmills, pulp mills and workshops. During the entire 20th century, however, agriculture and forestry have employed fewer and fewer people. This was offset by the corresponding growth of the manufacturing industry, which reached its peak in the 1960s. A change then took place, and Sweden entered a post-industrial period, reflected in an increase in administration and service occupations at the expense of traditional industry. An international study revealed that only half a dozen countries maintain service sectors which are larger than Sweden's.

The Welfare State

For many years (1932—1976) Sweden was led by social democratic governments whose declared ambition and principal aim was to create a true Welfare State with social security for all. And their efforts bore fruit. An increase in prosperity and its distribution to the broader masses occurred in step with the industrial development. This was helped by an extremely stable labour market. An agreement reached in 1938 between the Swedish Employers' Confederation and the Swedish Trade Union Confederation prepared the way for a generally placid and sound economy which benefited employers and employees alike.

But Sweden, in keeping with many other countries, has encountered economic problems which were exacerbated by the international oil crises. Sweden is highly dependent on oil and its economy was hit hard by increases in oil prices. Also the labour market came under strain. The good years had created expectations of continual increases in wages and benefits. Deficits in the State economy and an unfavourable trade balance for several years have made it necessary for Sweden to take increasingly large foreign loans. As is the case with many other affluent countries, Sweden and the Swedes like to buy foreign-made capital goods. Second only to the USA, Sweden is today the world's leading user of for instance television and video equipment.

Political transition

When Prime Minister Olof Palme lost power in the 1976 election to centrist Thorbjörn Fälldin, who headed a Liberal and Conservative coalition government, it was interpreted as a sign that Swedish political life was in need of change and rejuvenation. The bourgeois administration lasted until 1982, when Olof Palme once more became Prime Minister. In the wake of the unsuccessful election there was a prolonged ideological debate within the Social Democratic Party. Trends in the latest elections showed that the Social Democrats found difficulty in capturing the interest of the broader masses as it had done in previous years. Many younger people have turned to other political factions whose aims include the preservation of natural resources and the creation of a better environment. A number of issues have split the population into two blocs of equal strength and the political future is uncertain. A major issue was the introduction of wage-earners' investment funds. This is a question of capital accumulation funded by fees levied on profitable companies. The purpose is to use the funds to speculate on the Stock Exchange and thereby to provide trade and industry with operating capital. The bourgeois Opposition asserts that the real purpose of the funds is to nationalize the manufacturing industries and thus pave the way for the trade unions to assume control of trade and industry.

Even though some of the political confrontations have been harsh the social situation in Sweden is stable. At times people complain about the heavy taxes, but on the other hand it can be argued that they get value for their money. And even though the system has its flaws, Sweden nevertheless has effectual laws governing child-care, general old-age pensions, medical care and many other social benefits.

But the entire nation was profoundly shocked when it was announced late on the night of 1 March 1986 that Prime Minister Olof Palme had fallen victim to an assassin's bullet as he strolled home with his wife Lisbet after the cinema. The news of his tragic fate was widely reported in the world press. His burial took the form of an appeal for peace and justice, fully in harmony with the ideal he so tirelessly advocated in his lifetime. Olof Palme was succeeded by the Deputy Prime Minister Ingvar Carlsson.

The Swedish kingdom

Sweden has been a hereditary monarchy since 1544. The Head of State is King Carl XVI Gustaf, married 19 June 1976 to Silvia, née Sommerlath, who is now the Queen of Sweden. The family has three children, Crown Princess Victoria, Prince Carl Philip and Princess Madeleine. The King and Queen have their offices and audience chambers in the Royal Palace in Stockholm, and the family has its private quarters in Drottningholm Palace on the outskirts of the city. King Carl Gustaf wields no real political power in today's Sweden, his most important task being to represent the country together with the Queen. Their successful State visits to the USA, Japan, Russia and many other European countries testify to this.

King Carl Gustaf has involved himself in a number of public matters unconnected with politics. He has attached special importance to nature preservation and wildlife management, also in an international context. In conjunction with their marriage the royal couple created a fund to help handicapped youths, to whom cash grants are made yearly.

Monarchy and democracy — how does this arrangement work in practice? The answer is, remarkably well. Although the Social Democratic Party's manifesto calls for the abolition of the monarchy, it is at present politically impossible to try to change the existing arrangement. The majority of Swedes wish to retain the monarchy; this is made abundantly clear when the royal couple travel around the country. Official visits in the various provinces are called Eriksgator and are a kind of royal inspection tour. They attract immense public interest and hark back to the medieval system whereby the kings allowed themselves to be proclaimed by each individual province. Nowadays the visits are highly festive occasions with plenty of flags and bunting, courtesy calls on the visitors by the local citizenry, visits to firms and institutions and a host of other events.

When asked whether royal tours were still of practical significance, King Carl Gustaf replied that people are still as glad as ever to show the results of their labours in which they find pride.

Of all the annual events in which the royal family participates, the Nobel festivities in December is the most distinguished. The King's popular uncle Prince Bertil and Princess Lilian usually attend this ceremony. Also the King's sister Princess Christina Mrs Magnuson is present at the prize-giving ceremony in the Stockholm Concert House and the gala banquet in the Town Hall.

Trade and industry

Outside this lustrous world there is an everyday one, one in which ordinary people are diligently manufacturing and working for their living, their homes and families. The Top Ten companies are Volvo, Electrolux, ASEA, Saab-Scania, SKF, Sandvik, Atlas Copco, Alfa Laval, Fläkt and Tetra Pak, all of which are heavily engaged in the world export markets. In addition there is a very substantial forest industry, the steel and mining companies and a large number of other highly specialized companies which have made Sweden known to the world. An example of such a company is Hasselblad, the Gothenburg camera manufacturer. The firm's products became world-renowned when American astronauts took their amazing space pictures with them. One of the cameras was dropped during a space journey and is said to be whirling around as a space satellite to this day.

In a number of fields, ranging from micro-electronics to biotechnology, Swedish firms have enjoyed considerable success and are today helping to swell the country's export earnings. Four big firms whose products are based on electronics — Ericsson, Philips Sweden, IBM Sweden and Luxor — have a joint annual turnover of practically SEK 30 billion and 70,000 permanent employees. All four firms are producing competitive products which are appreciated and bought the world over.

Sweden's most important export markets are Germany, Great Britain, Norway, Denmark, Finland, the USA, France, Holland and Italy. Sweden sends these countries a wide range of goods including paper products, timber and vehicles, i.e. Volvo and Saab cars and lorries. Sweden's chief suppliers are Germany, Great Britain, the USA, Finland, Norway, Denmark, Saudi Arabia, France, Holland and Japan, and imports are dominated by cars, mineral oil, office machines and television sets. It is also interesting to note that in recent years Sweden has succeeded in gaining several new trading partners including China, which is now generally regarded as a future Swedish export market. Some business has been concluded simply because Sweden is a neutral country, a factor which is occasionally overlooked in economic political discussions.

Nature conservation

But life is not only a matter of business, work and economy; there is much else that in a most palpable way helps to improve the quality of life. Sweden possesses natural resources which are of absolutely indispensable value, and natural scenery which is perhaps the most beautiful in the world. There are still clean lakes and rivers, untouched primeval forests and fell regions — in brief, natural treasures which many other countries lack. Stockholm, the capital of Sweden, has a population of just over a million, and its surrounding countryside and archipelago are quite without parallel. Over 25,000 islands and skerries form a recreation area amply big enough for all those who dream of a secluded inlet or rock to sunbathe on.

But unfortunately it must also be admitted that this priceless natural treasure is being threatened in various ways. Traffic and industrial pollution both contribute to the acidification process which is affecting lakes and forests. Unfortunately much of this pollution is carried in by wind and water from our neighbours to the south, east and west. However, growing public opinion in Europe now gives some hope for the future. There is an awareness that also environmental pollution is an international problem that must be solved through multi-lateral collaboration.

Military defence

Another source of concern in present-day Sweden are the violations of Swedish territory by foreign powers. The Baltic, once known as the "Sea of Peace", has for a long time been an escalation zone for the Great Powers; a grim reality for the Swedish defence forces. Time and time again Sweden has had its terrritorial waters violated by foreign underwater vessels which have brazenly studied ports and defence installations. Sweden's resources for keeping its 7,642 km coastline under effective surveillance are limited, and the Government has instead sought to overcome the problem by diplomatic means. But there is a strong lobby of opinion in Sweden that the attempts made so far to put a stop to these serious intrusions have been far too cautious. One can only express the hope that Sweden will be allowed to live in peace and that the political changes, which have led among other things to the Soviet Union promising to scrap all nuclear-armed warships in its Baltic fleet, will bring about a radical change in the situation.

The riches of Nature

In the course of my travels throughout Sweden collecting the material for this book I have been struck many times by the beauty and diversity of the country. The waving cornfields of Scania, the smooth rocks of the west coast against the blue sea, the lush green meadows of Sörmland, the dark green forests of Värmland — scenery of virtually all kinds is to be found here. A journey along the E4 road is also an experience. The coastal areas facing the Gulf of Bothnia, and especially the Höga coast, offer magnificent, stunning views. The really dramatic scenery is to be found in the inland regions of Västerbotten and Norrbotten — the wide open land of the Lapps. This is where elk and reindeer roam freely, where bears and wolverines stalk. Lovers of the great outdoors can find everything they want here, winter and summer alike. Who can resist the fascination of skiing down a mountain slope or of panning gold in the wilderness of Lannavaara? There is every opportunity here of pursuing worthwhile forms of recreation, and everything is easily accessible thanks to the law governing the common right of access to private land. But it is also very important to limit wear and tear on the countryside which is to be bequethed to future generations; these last remaining European wildernesses are of irreplaceable value at a time when trees and whole forests in Central Europe are dying in the wake of traffic and industrial pollution.

The tourists' country

First-time visitors to Sweden usually arrive at Arlanda, the Stockholm airport 24 miles north of the capital. Other points of entry are the ports of Malmö and Trelleborg in Scania and Gothenburg, Sweden's second city, on the west coast. Communications are good in all directions, even for those who are not car-borne. The standard of Swedish roads is good, and in common with the rest of the world — with the exception of Britain and a few other countries — traffic keeps to the right.

Whether one chooses big hotels or the smaller establishments, accommodation presents very few problems. Several big hotels have been built in Stockholm in the last few years.

Swedish food

Food in Sweden deserves a chapter to itself; after all, this is the homeland of the smörgåsbord. But if the truth should be told, Swedes now have international eating habits, a consequence of increased immigration and tourism. Eating places in Stockholm and the country in general can offer Swedish specialities as well as dishes of a more international kind. The capital itself can proudly boast a handful of restaurants which have earned international recognition in the Michelin Guide. The Royal Opera in Stockholm is a veritable temple where food, culture and entertainment are concerned. There you can enjoy opera and ballet in the part facing Gustav Adolf's Square and the Crown Prince's Palace; in the other section you will find Operakällaren, a well-known restaurant of distinction. This is where Werner Vögeli, Caterer to the Royal Household, holds sway with a large staff of highly skilled cooks. Mr. Vögeli, who was born in Switzerland, now arranges the gala banquets given by the Swedish Court and specializes in Swedish food. With a sure hand and an eye for quality he has rediscovered genuine local raw products and put them on the Operakällare menu as delicacies. Needless to say there is also a wine cellar of the first rank. Another notable restaurant is Ulriksdals Värdshus, a few minutes' drive north of the city and not far from Ulriksdal Castle. A pleasant custom observed at this fine old inn is the ceremony of lowering the flag at sunset, during which guests are invited to stand and sing the national anthem.

In the far north

For those who fly SAS or Linjeflyg to the north of Sweden and land in the mining centre of Kiruna I would recommend a visit to the nearby little community of Jukkasjärvi. In addition to an interesting church with a celebrated reredos, this place boasts an inn which can offer exotic Swedish fare — salmon and reindeer served in a variety of tempting ways. Visitors are also invited to ride the rapids on giant rafts and take trips into the desolate wilds with hunting and other adventurous activities on the programme.

From Kiruna you can take a breathtaking car ride straight into Sweden's most beautiful mountain region. The road goes to Riksgränsen, which has a comfortable, ultramodern hotel. From here it is easy to reach the north Norwegian town of Narvik, the ice-free port from which ore mined in Sweden is shipped.

This is also where the celebrated midnight sun becomes a reality, and visitors to northernmost Sweden in the early summer see for themselves that it never gets dark. And there is no need to be afraid of midges either. True there are sometimes more than enough of these violators of the peace, but they can be kept at bay with suitable chemical preparations and a sprig of birch.

Music and museums

Lovers of culture will find a visit to Sweden most rewarding. Those who wish to experience the thrill of hearing a Mozart opera in a 15th century theatre — as a matter of fact the oldest in existence — should make their way to the Drottningholm Theatre on the outskirts of Stockholm. This is where soloists and artistes from the Stockholm Opera and the international opera houses perform. In this context visitors should not overlook Drottningholm Palace set in beautiful grounds in the vicinity of the theatre. This is where the royal family resides, although the prospects of actually seeing King Carl Gustaf, Queen Silvia or any of their children during the summer season are slim. At that time they have taken up residence at Solliden Castle on the island of Öland. There is an excellent alternative to the Drottningholm Theatre — this is Confidencen, which is situated just north of Stockholm and very close to the previously-mentioned Ulriksdals Värdshus. This theatre has an interesting repertory of plays and concerts and offers the accomplished artistes who perform in it a mature and inspiring cultural atmosphere.

Those who are interested in art can get their fill in the Stockholm museums and art galleries. An interesting experience in addition to the National Gallery and the Museum of Modern Art is a visit to the Milles Museum, which exhibits works by the sculptor Carl Milles, famous in the USA for his monumental works. Many of the sketches and originals of his celebrated sculptures are housed there. Skansen at Djurgården in Stockholm is another popular open-air museum of the folkloristic kind. This is where the Sweden of olden times is preserved, for instance dwellings and buildings of pronounced historical and cultural interest.

The Vasa man-of-war

One of Stockholm's chief attractions in addition to Skansen is the Vasa Museum, which contains a salvaged warship from 1628 with a magnificent but tragic history. It tells of a royal vessel which foundered on its maiden voyage. Vasa had sailed only a few nautical miles when she was caught and capsized by a squall. The ship went straight to the bottom with all hands and was salvaged in 1961 after being located at the bottom of Strömmen by marine archaeologist Anders Franzén. The warship Vasa is a sensational exhibit which attracts hordes of visitors from all corners of the earth, a maritime gem which was preserved over the centuries because there were no wood-boring ships-worms in the waters of Strömmen.

Many things of interest which I would have liked to include in this brief tour of Sweden have been omitted for want of space; the country refuses to be captured in a few small pages. But I hope that the text and my photographs of the country will together either induce readers to visit Sweden or serve as a reminder of a visit already made. This much I can promise — those who come here will discover for themselves that the country is every bit as "freeborn and mountainous" as the national anthem describes it. Top this off with a good measure of hospitality and we'll perhaps have the opportunity one day of saying "SKOL AND WELCOME TO SWEDEN" or "SKOL AND WELCOME BACK AGAIN".

Astrid Lindgren *(f 1907) är Sveriges mest lästa och älskade barnboksförfattarinna. Hennes böcker, bland andra de om den urstarka flickan Pippi Långstrump, har översatts till femtio språk.*
Under: Författaren, dramatikern och målaren ***August Strindberg*** *(1849–1912) är den svenska litteraturens ojämförligt största och mångsidigaste begåvning. Viktiga verk i hans diktning är Mäster Olof, Röda rummet, Giftas och Fröken Julie. Efter en religiös kris på 1890-talet tillkom en rad symboliska dramer, banbrytande för modern dramatik, bl a Till Damaskus och Ett drömspel.*

Astrid Lindgren (born 1907) is Sweden's most-read and best-loved author of childrens' books. Her works, among them those about the fabulously strong *Pippi Longstocking*, have been translated into fifty languages.
Below: The author, playwright and painter August Strindberg (1849–1912) is Sweden's incomparably greatest and most versatile genius. His major works include *Mäster Olof, the Red Room, Married* and *Lady Julie.* Following a religious crisis in the 1890s he produced a number of epoch-making allegorical plays, including *To Damascus* and *The Dream Play.*

Astrid Lindgren (geb. 1907) ist Schwedens meistgelesene- und geliebte Kinderbuch-Schriftstellerin. Ihre Bücher, z. B. die über das riesigstarke Mädchen *Pippi Langstrumpf*, sind in 50 Sprachen übersetzt worden.
Darunter: Der Schriftsteller, Dramatiker und Maler August Strindberg (1842–1912) ist die in der schwedischen Literatur unvergleichlich größte und vielseitigste Begabung. Wichtige Werke seiner Dichtung sind *Meister Olof, Das rote Zimmer, Heirat* und *Fräulein Julie.* Nach einer religiösen Krise um 1890 kamen seine symbolischen Dramen, bahnbrechend für das moderne Drama, z. B. *Nach Damaskus* und *Ein Traumspiel.*

Astrid Lindgren (1907) est la romancière pour enfants la plus lue et la plus aimée de la Suède. Ses livres, ceux, entre autres, de la série de la très robuste *Fifi, brin d'acier,* ont été traduits en 50 langues.
Ci-dessous: L'écrivain, dramaturge et peintre August Strindberg (1849–1912) est le génie aussi divers qu'incomparable de la littérature suédoise. Parmi ses oeuvres majeures citons *Maître Olof, La Chambre Rouge, Mariés* et *Mademoiselle Julie.* A la suite d'une crise mystique, au cours des années 1890, il a composé une série de drames symboliques qui marquent une date dans le théâtre moderne, entre autres, *Le Chemin de Damas* et *Songe.*

August Strindberg, Värmdö-Brevik, 1891

An der Südküste Schonens liegt Backåkra, der Zufluchtsort Dag Hammarskjölds. Er war Volkswirt, Diplomat und ratgebender Minister, bevor er 1953 zum UNO-Generalsekretär gewählt wurde. Hammarskjöld wurde bekannt durch seinen furchtlosen Kampf für Frieden und Unabhängigkeit. Er verunglückte 1961 tödlich bei einem Flugzeugunglück und bekam nachträglich den Friedens-Nobelpreis zuerkannt. Backåkra ist heute Wallfahrtsort für Besucher aus aller Welt. Der Ort stimmt zu Andacht und Nachsinnen.

Sur la côte méridionale de Scanie se trouve Backåkra, le refuge de Dag Hammarskjöld, économiste, diplomate et conseiller d'Etat, élu en 1953 aux Nations Unies comme secrétaire général de cette organisation. Hammarskjöld s'est fait connaître comme un intrépide défenseur de la paix et de la liberté. Il est mort d'un accident d'avion en Afrique en 1961. Il a reçu la même année le Prix Nobel de la Paix à titre posthume. Aujourd'hui, Backåkra est devenu un lieu de pélerinage pour les visiteurs du monde entier. Lieu de méditation donnant sur la mer, il incite à la réflexion et au recueillement.

*På den skånska sydkusten ligger Backåkra, **Dag Hammarskjölds** tillflyktsort. Han var nationalekonom, diplomat och konsultativt statsråd och valdes 1953 till FN:s generalsekreterare. Hammarskjöld gjorde sig känd som orädd förkämpe för fred och oberoende. Han omkom i en flygolycka i Afrika 1961 och tilldelades samma år postumt Nobels fredspris. I dag är hans Backåkra vallfartsort för besökare från hela världen. Meditationsplatsen med utsikt över havet stämmer till andakt och eftertanke.*

Backåkra, which was Dag Hammarskjöld's retreat, is on the south coast of Scania. Hammarskjöld was an economist, diplomat and consultative minister who became Secretary-General of the United Nations in 1953. He became known as an intrepid champion of peace and independence. Hammarskjöld died in a plane crash in Africa in 1961 and was awarded the Nobel Peace Prize posthumously the same year. His Backåkra is now a shrine for travellers from all parts of the world. The meditation site commands a view of the sea and is conducive to veneration and reflection.

*En seglats i svunnen tid — **Ales stenar**, Sveriges största skeppssättning, finns vid Kåsebergas branta stränder två mil öster om Ystad. De 58 stenarna restes troligen på vikingatiden, kanske som ett minnesmärke över en tapper sjöfarare eller för att utmärka en gravplats. Skeppssättningen är 67 meter lång och 19 meter bred. Från åsen har man en fantasieggande utsikt över ett glittrande hav.*

A voyage in bygone days — Ales' Stones, Sweden's biggest oval barrow, is situated on the steep shores of Kåseberga 12 miles east of Ystad. The 58 stones were probably erected in Viking days, perhaps as a monument to a brave sailor or to mark a burial place.
The barrow is 67 metres long and 19 wide. From the ridge there is a view of the glittering sea which stirs the imagination.

Eine Reise in vergangene Zeiten — Ales stenar, Schwedens größte schiffsförmige Steinsetzung, liegt an der Steilküste bei Kåseberga 20 km östlich Ystad. Die 58 Steine wurden wahrscheinlich zur Zeit der Wikinger errichtet, vielleicht zum Andenken an tapfere Seeleute oder um einen Begräbnisplatz zu kennzeichnen. Die Steinsetzung ist 67 m lang und 19 m breit. Von der Erhöhung hat man eine anregende Aussicht über die glitzernde Ostsee.

Vestiges des temps disparus — les pierres d'Ale disposées en forme de navire se trouvent près des falaises de Kåseberga, à 20 km au sud d'Ystad. Les 58 pierres ont probablement été érigées au temps des Vikings, peut-être pour commémorer un marin courageux ou pour marquer la place d'une tombe. Le monument a 67 m de long et 19 m de large. Du haut des falaises l'on a une vue superbe sur la mer étincellante.

En gammal skånegård med halmtak vittnar om en förgången tids bostadsstandard. Interiören är fylld av vackra möbler och bruksföremål. Men det var lågt till tak och sängarna korta. Det ger besked om att medellängden har ökat, bland annat beroende på näringsrikare kost.
*Till vänster **Glimmingehus**, Skånes äldsta profana och Sveriges bäst bevarade medeltida byggnad. Den uppfördes 1499—1505 och tjänade som bostad och försvarsanläggning, skyddad av en djup vallgrav. I dag är Glimmingehus ett populärt turistmål med konstutställningar och konserter.*

An old thatched farmhouse in Scania testifies to dwelling standards in olden times. The interior is filled with beautiful furniture and implements, but ceilings were low and beds short in those days. This shows how the average height has increased, among other things because of more nourishing food.
Left, Glimmingehus, the oldest profane building in Scania and Sweden's best-preserved medieval building. It was built 1499—1505 and did service as a dwelling and fortified buiding protected by a deep moat. Glimmingehus is now a popular tourist attraction offering art exhibitions and concerts.

Ein alter schonischer Hof mit Strohdach besagt etwas über den Wohnungsstandard vergangener Zeitalter. Die Einrichtung besteht aus schönen Möbeln und Gebrauchsgegenständen. Die Decke jedoch war niedrig und die Betten waren kurz. Die durchschnittliche Länge des Menschen hat dank nahrungsreicherer Kost zugenommen.
Links Glimmingehus — der älteste Profanbau in Schonen und besterhaltener Bau aus dem Mittelalter in Schweden. Erbaut 1499—1505 diente die Burg als Wohnung und Verteidigungsanlage — geschützt durch einen tiefen Wallgraben. Jetzt ist Glimmingehus ein beliebtes Ziel für Touristen; mit Kunstausstellungen und Konzerten.

Une vieille ferme de Scanie avec son toit de chaume temoigne de l'habitat des temps passés. L'intérieur est tout orné de beaux meubles et d'ustensiles. On notera que les plafonds sont bas et les lits relativement courts, ce qui signifie que la taille moyenne des hommes d'aujourd'hui s'est développée, sans doute à cause d'une alimentation plus riche.
A gauche, Glimmingehus, le bâtiment profane le plus ancien de Scanie et la construction médiévale la mieux conservée de Suède. Erigée entre 1499 et 1505, elle a longtemps servi de forteresse et d'habitation, protégée par de profonds fossés. Aujourd'hui, Glimmingehus est un but touristique populaire grâce à ses expositions d'art et ses concerts.

Göta kanal *är en trafikled som förbinder Mem vid Östersjön med Göteborg vid Kattegatt. Den egentliga kanalen, byggd 1810–1832, är 190,5 km lång och har sammanlagt 58 slussar. Tillsammans med de stora sjöarna Vättern och Vänern, Trollhätte kanal och Göta älv bildar Göta kanal en 387 km lång vattenväg, numera viktigast för lokaltrafiken och turismen.*
I den lilla staden ***Vadstena*** *vid Vättern kan kanalfararna förtöja i vallgraven vid det imponerande renässansslottet som Gustav Vasa lät bygga 1550. Vadstena är mest känt för sitt kloster, grundat av Sveriges enda helgon den heliga Birgitta och invigt 1384.*

The Göta Canal is a navigation channel which links Mem on the Baltic with Gothenburg on the Cattegat. The actual canal, which was built 1810–1832, is 190.5 kilometres in length and has a total of 58 locks. Together with the great lakes Vättern and Vänern, Trollhätte Canal and the river Göta, the Göta Canal is part of a 387 kilometre long waterway, which is today used chiefly for short-haul shipping and by tourists. In the small town of Vadstena on Lake Vättern canal users can tie up in the moat of the imposing Renaissance castle built by command of King Gustav Vasa in 1550. Vadstena is best known for its monastery, founded by Sweden's only saint, the Holy Bridget, and consecrated in 1384.

Der Götakanal ist eine Wasserstraße, die Mem an der Ostsee mit Göteborg am Kattegatt verbindet. Der eigentliche Kanal, der in den Jahren 1810–1832 gebaut wurde, ist 190,5 km lang und hat insgesamt 58 Schleusen. Zusammen mit den großen Seen Vänersee und Vättersee, dem Trollhättekanal und dem Fluß Götaälv bildet der Götakanal eine 387 km lange Wasserstraße, die heute am wichtigsten für den lokalen Verkehr und den Tourismus ist.
In der kleinen Stadt Vadstena kann der Kanalfahrer im Wallgraben des imponierenden Renaissansschlosses festmachen, das Gustav Vasa 1550 bauen ließ. Vadstena ist am bekanntesten für sein Kloster, das von der einzigen Heiligen Schwedens, der heiligen Birgitta, gegründet und 1384 eingeweiht wurde.

Göta Canal est un cours d'eau artificiel qui relie Mem sur la mer Baltique à Gothembourg sur le Kattegatt. Le canal proprement dit, creusé de 1810–1832, est long de 190,5 km et compte 58 écluses au total. Avec les grands lacs de Vättern et Vänern, le Trollhätte Canal et le fleuve Göta älv, Göta Canal constitue une voie d'eau longue de 387 km, aujourd'hui ne servant plus qu'au trafic local et au tourisme.
Dans la petite ville de Vadstena sur le lac Vättern, les bateaux peuvent s'amarrer dans les douves le long de l'impressionnant château renaissance que Gustav Vasa a fait ériger en 1550. Vadstena est surtout connu pour son monastère, fondé par la seule sainte de Suède, Sainte Brigitte, et dédicacé en 1384.

På de bohusländska klipporna på Sveriges västkust biter sig bostadshusen fast och ger varandra vindskydd. Här finns inga skyddande träd, men naturen är storslagen och bjuder på salta bad, båtliv och fiske. Bilden visar bebyggelsen på Källö-Knippla norr om Öckerö i ***Göteborgs skärgård.*** *Man når lätt ut till öarna med de färjor som binder samman trafiklederna på fastlandet med öarnas vägnät.*

Dwelling houses gain a foothold on the rocks of Bohuslän on Sweden's west coast and provide mutual shelter from the wind. There are no protective trees here, but the country is magnificent and offers sea bathing, pleasure boating and fishing. The picture shows the community on the island of Källö-Knippla north of Öckerö in the Gothenburg archipelago. The islands are easy to reach by ferries which link up mainland roads with the road network of the islands.

Auf den Klippen der Westküste, in Bohuslän, beißen sich die Wohnhäuser fest und geben einander Schutz von dem Wind. Es finden sich keine schützenden Bäume, die Natur ist jedoch großartig och lockt zu salzigem Bad, Bootfahrten und Angeln. Auf dem Bild die Besiedlung auf der Insel Källö-Knippla nördlich von Öckerö in den Schären Göteborgs. Mit Fähren, die das Straßennetz der Inseln mit dem des Festlands verbinden, gelangt man leicht zu den Inseln.

Sur les falaises de Bohuslän, sur la côte occidentale de la Suède, les maisons s'agrippent aux rochers et s'abritent mutuellement du vent. Ici, il n'y a pas d'arbres qui protègent de la tourmente, mais la nature est grandiose et invite aux bains de mer, à la navigation de plaisance et la pêche. La photo représente des habitations sur Källö-Knippla au nord d'Öckerö, dans l'archipel de Gothembourg. Il est facile d'atteindre les îles par les ferries qui relient entre elles les voies de la terre ferme aux réseaux maritimes qui desservent les îles.

LADEN
GÖTEBORGS MARITIMA CENTRUM

***Göteborg** är Sveriges näst största stad (430.000 innevånare) och Västkustens huvudort. Stadsbilden och sysselsättningen har länge dominerats av sjöfarten. Men Göteborg är också känt som Sveriges ledande bilstad, här tillverkas Volvos bilar som exporteras till köpare över hela världen. Bilden: Utsikt över Göteborgs hamn från ett höghus vid Lilla Bommen.*

Gothenburg is Sweden's second largest city (430,000 inhabitants) and the principal city on the west coast. The cityscape and employment have been dominated by shipping for many years. But Gothenburg is also known as the centre of Sweden's automotive industry, as it is here that Volvo vehicles are manufactured and exported to customers in all parts of the world. Picture: View of the Port of Gothenburg from a highrise building at Lilla Bommen.

Göteborg ist mit 430 000 Ew. Schwedens zweitgrößte Stadt. Stadtbild und Beschäftigung wurden seit langem von der Schiffart bestimmt. Göteborg ist jedoch auch als die führende Automobilstadt Schwedens bekannt; hier werden Volvos hergestellt, die an Käufer in aller Welt exportiert werden. Das Bild zeigt eine Aussicht über den Göteborger Hafen von einem Hochhaus am „Lilla Bommen" aus.

Gothembourg est la deuxième ville de la Suède (430.000 habitants) et principale agglomération de la côte occidentale. La navigation domine, depuis longtemps, à la fois la cité et les emplois. Mais Gothembourg est également le centre principal de la production automobile du pays. En effet, c'est là que l'on fabrique les voitures Volvo exportées dans le monde entier. La photo: Vue du port de Gothembourg prise d'une tour à Lilla Bommen.

Götaplatsen i Göteborg domineras av den väldiga Poseidonbrunnen. En imponerande bild av havets gud, skapad av skulptören Carl Milles, känd långt utanför Sveriges gränser för sina monumentala verk.

Götaplatsen in Gothenburg is dominated by the huge Poseidon Fountain. An impressive likeness of the sea god created by the sculptor Carl Milles, well known outside Sweden for his monumental works.

Der Götaplatz in Göteborg wird ganz vom Poseidonbrunnen beherrscht. Ein imponierendes Bild des Meeresgottes — geschaffen von Carl Milles, der weit über die Landesgrenzen hinaus für seine monumentalen Werke bekannt ist.

Götaplatsen à Gothembourg est dominée par la grande Fontaine de Poséidon. C'est une imposante représentation du dieu de la mer, créée par le sculpteur Carl Milles, connu bien au-delà des frontières de la Suède pour ses oeuvres monumentales.

Fiskka n

Två kända Göteborgsmotiv – Feskekörka, Göteborgs saluhall och auktionsplats för fisk uppförd 1874 i tidens nygotiska byggnadsstil, och hamnen med dess stora fartyg. I förgrunden en uppläggningsplats för fritidsseglarna.

Two familiar features of Gothenburg showing the so-called Fish Church (Feskekyrka), the local fish market and auction centre built in 1874 in the neo-Gothic style popular at the time, and the port with its big ships. In the foreground a laying-up yard for pleasure craft.

Zwei bekannte Göteborger Motive – die „Feskekörka" (Fischerkirche), Göteborgs Einkaufshalle und Auktionsstelle für Fisch; 1874 im neugothischen Stil der Zeit erbaut, und der Hafen mit seinen großen Schiffen. Im Vordergrund ein Aufstellplatz für Freizeitsegler.

Deux vues célèbres de Gothembourg – Feskekörka, le marché couvert et la criée, bâtie en 1874 dans le style néo-gothique de l'époque, et le port avec ses gros navires. Au premier plan, entrepôt des bateaux de plaisance.

***Karlsborgs fästning** vid sjön Vättern och Göta kanal är ett av Sveriges största och märkligaste byggnadsverk. Byggnationen påbörjades 1819 och stod färdig 90 år senare. Med sina vallgravar, kaponjärer, gevärsgallerier och långa vallar utgör fästningen ett intressant exempel på äldre befästningskonst. Praktisk militär betydelse fick fästningen aldrig, Sverige har haft fred i mer än 170 år.*

Karlsborg Fortress on Lake Vättern and the Göta Canal is one of the largest and most impressive buildings in Sweden. Building work was started in 1819 and was completed 90 years later. With its fosses and covered passages, shooting galleries and embankments it is an interesting example of earlier fortification science. The fortress never assumed any military significance as Sweden has enjoyed peace for over 170 years.

Die Festung Karlsborg, am Vätter-See und Göta Kanal, ist Schwedens größtes und merkwürdigstes Bauwerk. Man begann den Bau 1819 und 90 Jahre später war er fertig. Mit seinen Wallgräben, Kuppeln, Schießscharten und langen Wällen, ist die Festung ein interessantes Beispiel älterer Befestigungskunst. Militärische Bedeutung bekam die Festung nie — Schweden hat seit mehr als 170 Jahren Frieden.

La forteresse de Karlsborg, près du lac Vättern et du Göta Kanal, est l'une des plus grandes et des plus curieuses constructions de la Suède. Le bâtiment, commencé en 1819, n'était achevé que 90 ans plus tard. Avec ses fossés, ses caponnières, ses meurtrières et ses remparts, cette forteresse demeure un exemple intéressant de l'architecture militaire ancienne. Comme place forte, elle n'a jamais eu l'occasion de servir, puisque la Suède connaît la paix depuis plus de 170 ans.

Gotland *brukar kallas rosornas och vindarnas ö. Det är Sveriges utpost i Östersjön, en stor ö som befolkades redan för 8 000 år sedan. Gutasagan som troligen nedtecknades redan på 1200-talet skildrar Gotland som en förtrollad ö som sjönk i havet på morgonen och steg upp igen på kvällen. Under vikingatiden var ön centrum för handeln i Östersjön. I dag är Gotland ett betydande turistmål, känt för sina fornlämningar och många medeltidskyrkor. Ringmuren, byggd under senare delen av 1200-talet, är ett dominerande och imponerande byggnadsverk i staden Visby. Muren är drygt 3 kilometer lång och har 44 torn.*

Gotland is usually called the island of roses and winds. This large island has been inhabited for 8,000 years and is Sweden's Baltic outpost. The Guta Saga, which was probably recorded as early as the 13th century, describes Gotland as an enchanted island which sank into the sea each morning and arose again each evening. In Viking times the island was the main Baltic trading centre. Today Gotland is an important tourist resort, noted for its ancient monuments and many medieval churches. The impressive city wall, constructed in the late 13th century, is a dominating feature of Visby. The wall is a little more than 3 kilometres in length and has 44 towers.

Gotland wird oft die Insel der Rosen und der Winde genannt. Sie ist Schwedens Vorposten in der Ostsee; eine große Insel die schon vor 8 000 Jahren bevölkert war. Die Gutasaga, wahrscheinlich schon im 13. Jh. aufgezeichnet, schildert Gotland als verzauberte Insel, die morgens im Meer versank, um abends wieder aufzutauchen. Während der Wikingerzeit war die Insel Zentrum des Handels in der Ostsee. Heute ist Gotland ein bedeutendes Ziel für Touristen, bekannt durch ihre vorgeschichtlichen Funde und viele mittelalterliche Kirchen. Die Ringmauer, erbaut während der letzten Hälfte des 13. Jh. ist ein vorherrschendes, imponierendes Bauwerk der Stadt Visby. Die Mauer ist gut 3 km lang und mit 44 Türmen bestückt.

On surnomme Gotland l'île des roses et des vents. C'est la sentinelle de la Suède dans la Mer Baltique, une grande île qui est peuplée depuis plus de 8 000 ans. La saga des Goths qui date probablement du 13e siècle, décrit Gotland comme une île ensorcellée qui sombrait chaque matin pour rejaillir le soir. Au temps des Vikings, l'île était le centre commercial de la Baltique. Aujourd'hui, Gotland est un lieu touristique important et renommé surtout pour ses ruines et ses nombreuses églises médiévales. L'enceinte, érigée durant la seconde moitié du 13e siècle, est une imposante ceinture de pierre qui domine la ville de Visby. Le mur qui fait un peu plus de 3 km de circonférence, est hérissé de 44 tourelles.

*Sveriges andra stora ö, det naturskönа **Öland**, binds till fastlandet med en bro som är 6070 meter lång. Ölandsbron invidges 1972, är längst i Europa och en upplevelse att trafikera. Varje dag under turistsäsongen passerar många tusen fordon över bron. Tidigare sköttes trafiken av färjor mellan staden Kalmar och Färjestaden på Öland.*

Sweden's other big island is the beautiful Öland, which is linked to the mainland by a 6,070 metre long bridge. Öland Bridge was inaugurated in 1972; it is the longest in Europe and an experience to cross. During the tourist season it is used by several thousand vehicles a day. Traffic was previously carried by ferries between the mainland city of Kalmar and Färjestaden on Öland.

Die zweitgrößte Insel Schwedens, Öland, reich an Naturschönheit, wird mit einer 6070 m langen Brücke mit dem Festland verbunden. Die Ölandsbrücke wurde 1972 eingeweiht und ist die längste Europas. Sie wird in der Saison täglich von vielen tausend Fahrzeugen überquert. Früher wurde der Verkehr durch Fähren zwischen Kalmar und Färjestaden abgewickelt.

Öland, île pittoresque, deuxième du pays en superficie, est reliée à la terre ferme par un pont de 6 070 m de long. Inauguré en 1972, c'est l'oeuvre architecturale la plus longue de l'Europe et particulièrement impressionnante à traverser. Pendant la saison touristique, plusieurs milliers de véhicules empruntent le pont tous les jours. Auparavant, le trafic était assuré par des ferries qui reliaient la ville de Kalmar à Färjestaden à Öland.

***Kalmar slott**, som påbörjades under slutet av 1100-talet, är landets bäst bevarade renässans-slott. Vid den senaste restaureringen har man återställt flera intressanta fasadmålningar och också upptäckt nya. Slottets ursprung är ett så kallat rundtorn. Utbyggt blev det en viktig bastion mot de sjörövarflottor som härjade på Östersjön. På 1700-talet var slottet fängelse och kronobränneri. I dag finns här delar av Kalmar länsmuseums samlingar.*

Kalmar Castle, which was started at the end of the 12th century, is the country's best-preserved Renaissance castle. In conjunction with the latest restoration a number of interesting murals were restored and others discovered. In its original form the castle was a so-called round tower. When it was extended it became a major bastion against the pirate ships which were marauding shipping in the Baltic Sea. The castle was used as a prison and a State grain-distillery in the 18th century. Some of the collections owned by the Kalmar Provincial Museum are housed in it today.

Das Schloß Kalmar — der Bau begann gegen Ende des 12. Jh. — ist eines der besterhaltenen Renaissanceschlösser. Bei der letzten Restaurierung wurden mehrere Wandmalereien erneuert und auch einige neue entdeckt. Der älteste Teil besteht aus einem Rundturm. Das Schloß wurde zu einer Bastion gegen Seeräuberflotten ausgebaut, die die Ostsee heimsuchten. Im 18. Jh. diente es als Gefängnis und als Schnapsbrennerei der Krone.

Le château de Kalmar, commencé vers la fin du 12e siècle et terminé vers 1560, est l'édifice le mieux conservé de la Renaissance. Au cours de la dernière restauration on a remis en état un certain nombre de peintures murales de la façade, et découvert aussi de nouvelles. La partie la plus ancienne du château est le donjon. Agrandi, il est devenu un important bastion contre les flottes des pirates qui infestaient alors la Baltique. Au 18e siècle, le château a servi de prison et de distillerie royale.

Kung Carl XVI Gustaf, drottning Silvia och deras tre barn, kronprinsessan Victoria, prins Carl Philip och prinsessan Madeleine bor på Drottningholms slott utanför Stockholm (sid 70—71). Somrarna tillbringar familjen på Öland. Där har man ett sommarslott, Solliden, vackert beläget med utsikt över Kalmarsund, det vatten som skiljer Öland från fastlandet. Varje dag upplåter den kungliga familjen Solliden för visningar.

King Carl XVI Gustaf, Queen Silvia and their three children, Crown Princess Victoria, Prince Carl Philip and Princess Madeleine, reside at Drottningholm Palace outside Stockholm (pages 70—71). The family spends the summer on Öland. Their summer palace on the island is beautifully situated with a view of Kalmarsund, the sound which separates Öland from the mainland. The royal family opens the palace daily to sightseers.

Köning Carl XVI Gustaf, Königin Silvia und deren drei Kinder: Kronprinzessin Victoria, Prinz Carl Philip und Prinzessin Madeleine, wohnen im Schloß Drottningholm außerhalb Stockholm (Seite 70—71). Die Sommer verbringt die Familie auf der Insel Öland. Dort hat man das Sommerschloß Solliden, schön gelegen mit Aussicht über den Kalmarsund — das Gewässer, das Öland vom Festland trennt. Täglich stellt die königliche Familie Solliden für Besichtigungen zur Verfügung.

Le roi Carl XVI Gustaf, la reine Silvia et leurs trois enfants, la princesse héritière Victoria, le prince Carl Philip et la princesse Madeleine résident au palais de Drottningholm, en dehors de Stockholm (p. 70—71). La famille passe l'été à Öland où elle possède une résidence, Solliden, avec une vue superbe sur Kalmarsund, bras de mer qui sépare Öland de la terre ferme. La famille royale ouvre chaque jour Solliden aux visiteurs.

En svensk idyll så som många föreställer sig den — en röd stuga med vita knutar mot en mörk ridå av granskog. Framför på ängen lyser oljeväxternas blommor gula. Och ännu lever den svenske bonden. Men många söker sig från jordbruket till andra yrkesgrenar eller behåller gården och brukar jorden på fritiden. Bara under de senaste tio åren har tiotusentals svenska småbruk lagts ner.

A Swedish idyll as many people visualize it — a red-painted cottage with white trim against a dark spruce forest background. In the foreground a field of bright yellow rape in flower. Yes, the Swedish farmer still exists, although many are leaving their farms to take up other kinds of work, or holding on to them and tending the fields in their spare time. Tens of thousands of farms have been closed down in the last decade alone.

Eine Schwedische Idylle wie sie sich viele vorstellen — ein rotes Häuschen. Im Vordergrund blüht gelb der Raps. Noch gibt es den schwedischen Bauern. Viele wechseln jedoch aus der Landwirtschaft in andere Berufe über oder behalten ihren Hof und bebauen das Land in ihrer Freizeit. Allein in den letzten zehn Jahren sind über 10 000 Kleinbauernhöfe stillgelegt worden.

Une petite maison rouge aux angles blancs, adossée à une sombre forêt de sapins, telle est l'image idyllique qui berce la plupart des Suédois. Sur le pré, devant la maisonnette, brillent les fleurs jaunes du colza. Et le fermier poursuit sa rude tâche. Beaucoup, cependant, s'éloignent de l'agriculture et se tournent vers d'autres activités ou gardent la ferme et cultivent la terre durant leurs loisirs. Au cours des dix dernières années seulement, des dizaines de milliers de petites propriétés agricoles ont été abandonnées.

SKANSKA
ALFA-LAVAL
SANDVIK
Orrefors
TETRA PAK
AGA
SAAB-SCANIA
Electrolux
ASTRA
SKF
IKEA
STORA
SCA
ABB
ASEA BROWN BOVERI
ERICSSON
VOLVO
Atlas Copco

Denna bild från Oskarshamn på Sveriges ostkust får illustrera den svenska exporten. Papper och trävaror hör till våra viktigaste exportvaror och fartyg från jordens alla länder lastar svenska träprodukter i de stora hamnarna. Symbolerna på sidan t v representerar några av de företag som betyder mest för Sveriges export och gör Sverige känt i omvärlden.

This picture of Oskarshamn on the east coast can serve to illustrate Swedish exports. Paper and timber goods are among our most important exports and they are stowed aboard ships from all over the world in the extensive harbours. The logotypes on the left-hand page represent some of the major exporting concerns which promote Sweden abroad.

Dieses Bild von det Stadt Oskarshamn an der Ostküste illustriert den schwedischen Export. Papier und Holzerzeugnisse gehören zu den wichtigsten Ausfuhrartikeln. Schiffe aus allen Ländern laden Holzprodukte in den großen Häfen. Die Symbole auf der linken Seite stellen einige der Unternehmen dar, die die größte Bedeutung für den schwedischen Export haben, und das Land in der Umwelt bekannt gemacht haben.

Cette photo de la ville d'Oskarshamn, sur la côte orientale de la Suède, sert d'illustration aux échanges suédois. Le papier et le bois sont à la base de nos exportations, et, les cargos du monde entier chargent ces produits dans nos grands ports. Les emblèmes de la page de gauche représentent quelques-unes des entreprises qui comptent le plus pour l'exportation nationale et qui contribuent à faire connaître la Suède à l'étranger.

Sveriges huvudstad ***Stockholm*** *(1 435 000 invånare i Storstockholm) är en mångbesjungen och vacker stad. Den äldsta delen är Gamla stan med sina välbevarade medeltidskvarter. Här ligger också Stockholms slott och Storkyrkan. Och överallt glimmar det av vatten — smeknamnet "Nordens Venedig" har visst fog för sig. Till höger Stockholms stadshus torn med de välkända gyllene tre kronorna. I Stadshuset hålls varje år en stor galamiddag i samband med utdelningen av Nobelpriserna.*

The Swedish capital Stockholm (population of Greater Stockholm 1,435,000) is a much-lauded and beautiful city. The oldest section is Gamla Stan, which has several blocks of well preserved medieval buildings. The Royal Palace and Storkyrkan are also situated here. And glittering water everywhere — good reason for calling it the Venice of the North. Right, the tower of the Town Hall with the familiar three gilded crowns. The gala banquets given in conjunction with the presentation of the Nobel prizes are held in the Town Hall.

Die schwedische Hauptstadt Stockholm (Groß-Stockholm 1 435 000 Ew.) ist eine vielbesungene und schöne Stadt. Im ältesten Teil — Gamla Stan — stehen guterhaltene Häuserblöcke aus dem Mittelalter. Hier liegen auch das Schloß und die Storkyrkan (Großkirche). Überall glitzert das Wasser. Der Name „Venedig des Nordens" ist nicht unbefugt. Rechts das Stadthaus mit den drei wohlbekannten goldenen Kronen. Dort wird jährlich zum Verleih des Nobelpreises ein Bankett gegeben.

Stockholm, la capitale de la Suède (1 435 000 habitants, banlieues comprises), est une ville superbe célébrée par les poètes. La plus vieille partie de la ville est Gamla Stan avec ses quartiers médiévaux bien conservés. Là, s'élève aussi le Palais Royal et la Cathédrale. Et partout l'eau scintille — le surnom de "Venise du Nord" n'est pas sans fondement. A droite, la tour de l'Hôtel de Ville avec ses trois fameuses couronnes dorées. A l'Hôtel de Ville se tient chaque année un grand dîner de gala à l'occasion de la distribution des Prix Nobel.

Riddarfjärden i Stockholm är ett av de många öppna vatten som ger huvudstaden dess karaktär.

Riddarfjärden is one of the many stretches of open water which give the capital its distinctive appearance.

Riddarfjärden ist eines der offenen Wasser, das charakteristisch für Stockholm ist.

Riddarfjärden à Stockholm est l'un des nombreux plans d'eau qui donnent à la capitale son caractère si particulier.

Två av Stockholms verkliga sevärdheter är Stockholm Globe Arena och Millesgården. Det som i dagligt tal kallas Globen är en klotformad arena för stora publika evenemang som t ex tennisturneringen Stockholm Open och VM i ishockey. Här har påven Johannes Paulus II hållit predikan inför 15.000 människor, Luciano Pavarotti och Frank Sinatra sjungit. Runt den 85 meter höga och 110 meter breda Globen, för övrigt världens största sfär byggd i stål, lättmetall och glas, finns hotell, butiker, restauranger och serviceinrättningar.
Till höger: Millesgården är ett välbesökt konstmuseum och tidigare hem för skulptören Carl Milles (1875–1955). Före sin död testamenterade han sin samling av skulpturer och parkanläggningar till svenska folket. Här finns en stor del av Milles verk samlade, såväl unika arbeten som repliker, bl a den kända bronsskulpturen Guds hand.

Two of Stockholm's really great attractions are the Stockholm Globe Arena and Millesgården. The building, which is popularly known as the Globe, is a spherical arena used for large public events such as the Stockholm Open tennis tournament and the world ice hockey championships. It was here that Pope John Paul II officiated at a service for 15,000 worshippers, and Luciano Pavarotti and Frank Sinatra sang. Surrounding the Globe, which incidentally is the world's largest spherical building constructed of steel, light metal and glass, there are hotels, shops, restaurants and service facilities.
Right: Millesgården is a popular art museum and the former home of the sculptor Carl Milles (1875–1955). He bequethed his collection of statues and the grounds to the Swedish people. The museum contains both original works and replicas, among others the well-known bronze statue *God's Hand.*

Zwei von Stockholms wirklichen Sehenswürdigkeiten sind „Stockholm Globe Arena" und der „Millesgården". Das, was im Alltag „Globen" (Globus) genannt wird, ist eine kugelförmige Arena für große öffentliche Veranstaltungen, wie z. B. das Tennistournier „Stockholm Open" und die Eishockey-VM. Hier hat Papst Johannes Paulus II vor 15 000 Menschen gepredigt, und Luciano Pavarotti und Frank Sinatra haben hier gesungen. Rund um den 85 m hohen und 110 m breiten Globus, es ist übrigens das größte kugelförmige Bauwerk der Welt aus Stahl, Leichtmetall und Glas, gibt es Hotels, Geschäfte und Restaurants.
Recht: Der Millesgården ist ein gutbesuchtes Kunstmuseum und frühere Haus des Steinhauers Carl Milles (1875 –1955). Er testamentierte dem schwedischen Volke seine Sammlung von Skulpturen und den Park. Hier befindet sich ein großer Teil von Milles Werken, sowohl Orginale als Repliken; u. a. die bekannte Bronzeskulptur *Gottes Hand.*

A Stockholm, deux choses sont absolument à voir: Stockholm Globe Arena et Millesgården. Ce que l'on appelle ici communément le Globe, est une arène sous une sphère où se tiennent les grands événements populaires comme le tournoi de tennis Stockholm Open, et le Championnat du Monde de Hockey sur Glace. Là, le pape Jean-Paul II a prêché devant 15.000 fidèles, Luciano Pavarotti et Frank Sinatra y ont chanté. Autour du Globe qui mesure 85 m de haut et 110 m de diamètre, d'ailleurs la plus grande sphère du monde construite en acier, métal léger et verre, se trouvent des hôtels, des boutiques et des restaurants.
A droite: Millesgården est un musée d'art en plein air très visité et, avant cela, la demeure du sculpteur Carl Milles (1875–1955). Il a légué sa collection de sculptures et son parc au peuple suédois. Là, sont rassemblées les principales oeuvres de Milles, pièces uniques ou répliques, dont la fameuse sculpture de bronze *La main de Dieu.*

Vintersoluppgång över Strömmen, det inre vatten i Stockholm som har förbindelse med Östersjön. Till vänster Skeppsholmen och den gamla råseglaren af Chapman som numera används som vandrarhem.

Winter sunrise over Strömmen, the watercourse in central Stockholm which runs out into the Baltic. Left, Skeppsholmen and the old square-rigger af chapman, now doing service as a youth hostel.

Wintersonnenaufgang über dem Strom — Stockholms innere Wasser stehen in Verbindung mit der Ostsee. Links Skeppsholmen mit dem alten Rahensegler „af Chapman" der nun als Jugendherberge dient.

Lever du soleil hivernal sur Strömmen, plan d'eau intérieur de Stockholm, relié à la Mer Baltique. A gauche, Skeppsholmen et le vieux voilier *af Chapman* qui sert désormais d'auberge de jeunesse.

En typisk vinterdag i Stockholm. Snödrivorna kan vissa vintrar bli meterhöga.
Bilden ovan: En av Sveriges och Skandinaviens största turistattraktioner är ***regalskeppet Vasa****, kung Gustav II Adolfs skepp som skulle bli den svenska flottans stolthet, men som kantrade och sjönk i Stockholms hamn på sin jungfrufärd 1628. Skeppet bärgades 1961 och har efter omfattande konservering nu fått sitt permanenta museum. Bakom modellen av Vasa på bilden skymtar skrovets akterparti.*

A typical cold and snowy winter day in Stockholm.
Above: One of Sweden's and Scandinavia's principal attractions is the man-of-war *Vasa*, King Gustav II Adolf's ship which was to have been the pride of the Swedish Navy, but which capsized and sank in the Stockholm harbour on her maiden voyage in 1628. She was salvaged in 1961 and has now, following extensive restoration, been housed in a permanent museum. The stern can be seen behind the model shown in the picture.

Ein typischer Wintertag in Stockholm.
Oben: Einer der größte Anziehungspunkte für Touristen, in Schweden und Skandinavien, ist das Segelschiff *Vasa*, das Schiff des Könings Gustav II Adolf, das der Stolz der Flotte werden sollte, jedoch bei seiner Jungfernfahrt 1628 im Stockholmer Hafen kenterte und sank. Das Schiff wurde 1961 gehoben, und bekam nach umfassender Konservierung sein festes Museum. Im Hintergrund sieht man das Achterteil des Rumpfes.

Un jour d'hiver typique à Stockholm.
Ci-dessus: Une des principales attractions de la Suède est le vaisseau-amiral *Vasa*. Ce navire du roi Gustav II Adolf qui devait être l'orgueil de la marine suédoise, a chaviré et coulé dans le port de Stockholm au cours de son voyage inaugural, en 1628. Le bateau a été remonté en 1961 et après avoir subi d'importants travaux de conservation, il se trouve aujourd'hui dans son musée définitif. Derrière le modèle se profile la partie arrière de la coque.

***Stockholms slott** började byggas 1697 efter en storbrand som härjade det gamla slottet Tre Kronor. Arkitekt var Nicodemus Tessin d y. Slottet stod klart 60 år senare och anses i dag vara Sveriges största och mest besökta museum; här finns den svenska stormaktstiden väl bevarad. En rad utställningar visas dagligen och särskilt intressant är Skattkammaren med kronjuvelerna. Delar av slottets våningar och gemak visas också för allmänheten.*

Building work on the Stockholm Royal Palace commenced in 1697 following a fire which destroyed the former palace Tre Kronor. The architect was Nicodemus Tessin the Younger. The palace was finished 60 years later and is now regarded as Sweden's largest and most frequented museum; Sweden's golden era is well preserved and documented here. There are several exhibitions to be seen daily and the Treasury housing the Crown Jewels is of particular interest. Some parts of the palace's apartments and staterooms are open to the public.

Nach dem Großbrand im alten Schloß „Drei Kronen" begann 1697, unter dem Architekten Nicodemus Tessin d.J., der Bau des neuen Schlosses, der 60 Jahre dauerte. Es ist heute das größte in Schweden und sein Museum lockt die meisten Besucher an; dort ist die Großmacht Schweden noch bewahrt. Mehrere Ausstellungen, besonders die Schatzkammer mit den Kronjuwelen, sind täglich geöffnet. Ein Teil des Schlosses und der Gemächer ist auch der Allgemeinheit zugänglich.

L'érection du palais royal de Stockholm a commencé en 1697, après qu'un terrible incendie ait ravagé le vieux château des «Trois Couronnes». L'architecte en a été Nicodème Tessin le jeune. Le palais achevé soixante ans plus tard, est considéré aujourd'hui comme le musée le plus grand et le plus visité de la Suède; là, se trouve bien gardée la période de Grandeur de l'histoire suédoise (1611—1718). Dans la série d'expositions proposées quotidiennement aux visiteurs, la plus intéressante est la salle du Trésor avec les joyaux de la couronne. Les appartements royaux sont partiellement ouverts au public.

Stora bilden: En av Stockholms slotts magnifikaste salar är Karl XI:s galleri som används vid de kungliga representationsmiddagarna och statsbesöken. Då dukas här ett långbord som torde sakna motstycke, smyckat med silverpjäser, blomsteruppsatser och levande ljus.
Bilderna t h visar Kungliga Teatern, det vill säga Stockholmsoperan och under Kungliga Dramatiska Teatern, känd för sina Strindbergs- och Eugene O'Neill-uppsättningar. Vid denna teater verkar bland andra regissör Ingmar Bergman.

Large picture: The Karl XI Gallery is used for official dinners and State visits and is among the most beautiful rooms in the palace. On such occasions a virtually peerless long table is set with decorative silverware, floral arrangements and candelabra. Upper right, the Royal Theatre, or the Stockholm Opera, and below the Royal Dramatic Theatre, noted for its Strindberg and Eugene O'Neill productions. Ingmar Bergman is among the directors who are active in this theatre.

Einer der prächtigsten Säle im Stockholmer Schloß ist die Galerie Karls XI., die bei königlichen Repräsentationsbanketten und Staatsbesuchen benutzt wird (links). Dann wird hier eine Tafel gedeckt, die ihresgleichen sucht, geschmückt mit Silber, Blumenschalen und Kerzen. Die Bilder oben zeigen das königliche Theater, d.h. die Stockholmer Oper und unten das Dramatische Theater, bekannt für seine Strindberg- und Eugen O'Neill-Inszenierungen. Hier arbeitet u.a. der Regisseur Ingmar Bergman.

Grande photo: Une des plus belles salles du château de Stockholm est la Galerie Charles XI qui est réservée aux dîners et aux visites officielles. Une longue table qui n'a pas sa pareille est alors dressée, ornée d'argenterie, d'arrangements floraux et de bougies. Les photos ci-dessus représentent le Théâtre Royal, c'est-à-dire l'Opéra de Stockholm, et, au-dessous, le Théâtre Dramatique Royal, connu pour ses mises en scène de Strindberg et d'Eugène O'Neill. Dans ce théâtre travaille aussi, parmi d'autres metteurs en scène, Ingmar Bergman.

Drottningholms slott *utanför Stockholm är ett Versailles i miniatyr. Det uppfördes från 1662 efter ritningar av Nicodemus Tessin d ä. Här bor numera den kungliga familjen under vinterhalvåret. Den omgivande parken med en fransk och en engelsk del, häckteater och fontänanläggningar är en upplevelse att ströva i.*

Drottningholm Palace on the outskirts of Stockholm is a miniature Versailles. Work on it was started in 1662 to plans drawn by Nicodemus Tessin the Elder, and this is where the royal family resides in the winter season. The surrounding grounds have sections in the French and English styles, ornamental hedges and fountains and are a joy to stroll in.

Schloß Drottningholm bei Stockholm ist ein kleines Versailles. Der Bau begann 1662, nach Zeichnungen des Baumeisters Nicodemus Tessin d. Ä. Dort wohnt jetzt die königliche Familie während des Winterhalbjahres. Ein Erlebnis ist es im umliegenden Park, mit einem französischen und einem englischen Teil, umherzustreifen; zwischen Heckentheater und Fontänen.

Le château de Drottningholm, en dehors de Stockholm, est un Versailles en miniature. Il a été érigé en 1662 sur les plans de Nicodème Tessin le vieux. La famille royale y habite durant les six mois d'hiver. Le parc qui l'entoure, avec ses jardins à la française et à l'anglaise, son théâtre de plein air et ses fontaines monumentales, invitent à y flâner.

*En sevärdhet i världsklass är **Drottningholms slottsteater** i omedelbar anslutning till Drottningholms slott. Teatern, uppförd efter ritningar av C F Adelcrantz 1764—1766, har fullt fungerande scenmaskineri och dekorationer bevarade i original. Här ges sommartid uppskattade opera- och balettföreställningar. Stora bilden visar salongen och scenen med originaldekor — en bild av slottet från sjösidan. De röda stolsryggarna i centrum visar kungaparets platser. Till höger teatern från parksidan och därunder en bild med publik — i mellanakten går man gärna ut i den vackra parken.*

The Drottningholm Palace Theatre adjacent to Drottningholm Palace is an attraction of the first order. The theatre, built to plans drawn by C F Adelcrantz in 1764—1766, has fully working stage machinery and scenery preserved in their original condition. The productions staged here in the summer season, predominantly musical dramas, are extremely popular. The large picture shows the interior of the theatre and the stage with original scenery portraying the palace as seen from the water. The red seat backs in the centre show where the royal couple sit. Right, a view of the theatre from the water, and below a picture of the audience enjoying an intermission in the beautiful grounds.

Eine Sehenswürdigkeit von Weltformat ist das Schloßtheater Drottningholm in unmittelbarer Nähe von Schloß Drottningholm. Das Theater 1764—1766 nach Zeichnungen von C F Adelcrantz gebaut, hat noch immer eine vollständig funktionierende Bühnenmaschinerie und im Original erhaltene Dekorationen. Zur Sommerzeit werden hier geschätzte, vorzugsweise musikdramatische Vorstellungen, gegeben. Auf dem großen Bild der Salon mit Bühne und Originaldekor — ein Bild des Schlosses von der Seeseite. Die roten Stuhllehnen in der Mitte zeigen die Plätze des Königspaares an. Rechts das Theater auf der Parkseite, darunter ein Bild mit Publikum. In der Pause promeniert man gern im schönen Park.

A voir aussi, le Théâtre Royal de Drottningholm, monument gracieux qui se trouve tout près du palais. La salle, construite sur les plans de C F Adelcrantz entre 1764 et 1766, a conservé ses décors originaux et sa machinerie de scène en parfait état de fonctionnement. Durant l'été, on y donne des spectacles lyriques particulièrement appréciés. La grande photo représente la salle et la scène avec les décors originaux qui figurent le château de Drottningholm vu du lac. Les dossiers rouges au milieu de la salle marquent les places du couple royal. A droite, le théâtre vu du parc et audessous, une photo du public qui se promène volontiers dans le parc pendant l'entr'acte.

Varje år den 10 december delar kung Carl XVI Gustaf ut årets ***Nobelpriser*** *till vetenskapsmän och forskare, valda av svenska akademier och institutioner. Ceremonien äger rum i Stockholms konserthus under högtidliga former, i närvaro av den kungliga familjen och företrädare för regering, riksdag, näringsliv och vetenskapliga institutioner. Evenemanget väcker stor internationell uppmärksamhet och brukar TV-sändas till en lång rad länder.*

On 10 December each year King Carl XVI Gustaf presents the year's Nobel prizes to scientists and researchers nominated by various Swedish academies and institutions. The ceremony takes place in the Stockholm Concert House with formal pomp in the presence of the royal family and representatives of the Government, Parliament, trade and commerce and scientific institutions. The occasion commands enormous international interest and is usually televised to a large number of countries.

Am 10. Dezember wird jährlich der Nobelpreis von König Carl XVI. Gustaf an Wissenschaftler und Forscher verliehen — ausgewählt von der Akademie und Instituten. Die Zeremonien finden im Stockholmer Konzerthaus unter feierlichen Formen statt. Hierbei sind Vertreter der königlichen Familie, der Regierung, des Parlaments, der Wirtschaft und der wissenschaftlichen Institute anwesend. Das Ereignis weckt großes internationales Interesse und wird via Fernsehen in viele Länder übertragen.

Chaque année le 10 décembre, le roi Carl XVI Gustaf distribue les Prix Nobel aux scientifiques et aux littéraires choisis par les Académies et Institutions suédoises. La cérémonie a lieu dans la Salle des Concerts d'une façon très solennelle, en présence de la famille royale et des représentants du Gouvernement, du Parlement, de la vie économique et des institutions scientifiques. L'événement est suivi avec beaucoup d'intérêt par le monde entier et la cérémonie est relayée par la télévision dans un grand nombre de pays.

*I **Stockholms skärgård** finns mer än 25 000 öar och skär. Det är ett rekreationsområde som saknar motstycke i världen. Här tillbringar många sin fritid i båt och njuter av sol och salta vindar.*

There are over 25,000 islands and skerries in the Stockholm archipelago, and as a recreation area it is unparalleled anywhere in the world. Many people spend their leisure time boating in the archipelago and enjoying the sun and salty winds.

Die Stockholmer Schären bestehen aus mehr als 25 000 Inseln und Schären. Es ist ein Erholungsgebiet, das seinesgleichen in der Welt sucht. Man verbringt seine Freizeit im Boot und genießt Sonne, Salz und Wind.

L'archipel de Stockholm se compose de plus de 25 000 îles et îlots. C'est un lieu de divertissement sans pareil dans le monde. Nombreux sont ceux qui viennent y passer leurs loisirs en bateau pour profiter du soleil et du vent.

Midsommaren är den svenska sommarens stora högtid. Den infaller omkring den 20 juni och då samlas man till lekar och upptåg och dansar runt lövad stång, som här på Risholmen i Torsbyfjärden. Till vänster den vackra klockstapeln vid Länna kyrka i Roslagen.

Midsummer is the highlight of the Swedish summer season. It falls around 20 June and people gather for fun and games and dancing round the maypole, like this one at Risholmen in Torsbyfjärden. Left, the beautiful belfry at Länna Church in Roslagen.

Mittsommer ist das große Fest des Sommers. Es wird um den 20. Juni herum gefeiert — mit Tanz um die Maistange, Spielen und Umzügen — wie hier auf Riesholmen im Torsbyfjärden. Links der schöne Glockenturm der Kirche Länna in Roslagen.

La Saint-Jean est la fête par excellence de l'été suédois. Elle tombe vers le 20 juin. Les gens se réunissent alors autour de l'arbre de mai pour danser et jouer, comme ici à Risholmen à Torsbyfjärden. A gauche, le beau clocher de l'église de Länna à Roslagen.

***Dalarna** är kanske Sveriges färgstarkaste landskap med ett kärleksfullt vårdat kulturarv. Här finns ett levande intresse för folkmusik, även bland de unga. Flickorna spelar en gånglåt vid en ceremoni i Mora.*

Dalarna is perhaps Sweden's most colourful province and has a cultural inheritance which is cherished with great affection. There is a lively interest in folk-music also among younger people. The girls are playing a marching-song at a ceremony in Mora.

Dalekarlien ist Schwedens vielleicht farbenprächtigste Landschaft, in der das Kulturerbe liebevoll gepflegt wird. Sogar bei der Jugend ist noch das Interesse für die Volksmusik wach. Die Mädchen spielen ein Wanderlied bei einer Zeremonie in Mora.

La Dalécarlie est peut-être la province la plus haute en couleurs de la Suède, possédant un héritage culturel dont on a pris amoureusement soin. On y trouve un intérêt très vif pour la musique traditionnelle, même parmi les jeunes. Ici, des jeunes filles jouent une marche pour accompagner une cérémonie à Mora.

*Målaren **Carl Larsson** (1853–1919) hör till Sveriges mest älskade konstnärer. Hans bilder från hemmet i Sundborn i Dalarna har återgivits i åtskilliga böcker världen över — här en interiör (hustrun Karin t h) från 1901 ("Till en liten vira", Nationalmuseum, Stockholm). Exteriören t h visar konstnärshemmet som byggdes till flera gånger och som nu är ett välbesökt museum.*

The painter Carl Larsson (1853–1919) is among Sweden's best-loved artists. Pictures of his home in Sundborn in Dalarna have been reproduced in many books the world over — this interior, showing his wife Karin to the right, is signed CL 1901. The exterior shows the artist's home which has been extended several times and is now a popular museum.

Der Maler Carl Larsson (1853—1919) gehört zu Schwedens beliebtesten Künstlern. Die Bilder seines Hauses in Sundborn/Dalekarlien sind weltweit in vielen Büchern abgedruckt worden. Hier ein Interieur (Frau Karin rechts) signiert CL 1901. Das Exterieur zeigt das Heim des Künstlers, das mehrmals erweitert wurde und heute als Museum dient.

Le peintre Carl Larsson (1853—1919) est un des artistes les plus appréciés de la Suède. Les tableaux qu'il a peints de sa maison à Sundborn en Dalécarlie ont été reproduits dans un grand nombre d'ouvrages à travers le monde. Voici un intérieur (sa femme Karin, à droite) signé CL 1901. L'extérieur représente la maison de l'artiste. Remaniée à plusieurs reprises du vivant du peintre, cette demeure est devenue un musée très visité.

Den svenska energipolitiken avser att minska oljeberoendet och successivt avveckla kärnkraften. Man vill prioritera de energisystem som baserar sig på varaktiga, helst förnybara och inhemska energikällor och som ger minsta möjliga skador på miljön. Till dessa hör vattenkraften som ger Sverige avsevärda energimängder. Här en bild från ***Älvkarleby kraftverk*** *i Dalälven som byggdes ut 1911—1915.*

The aim of Sweden's energy policy is to reduce dependency on oil and gradually to dismantle nuclear power production. Priority is given to energy production which is based on plentiful, preferably renewable and indigenous sources of energy and which have the minimum deleterious effect on the environment. These sources include water power, which gives Sweden a considerable amount of energy. This picture shows the power station at Älvkarleby in Dalälven, constructed 1911—1915.

Die schwedische Energiepolitik hat es sich zum Ziel gemacht, die Kernkraftwerke nach und nach abzuschaffen und die Abhängigkeit vom Erdöl zu vermindern. Man will in erster Hand die Energiequellen anwenden, die auf beständigen, möglichst erneuerungsfähigen einheimischen Quellen bauen und den kleinsten Umweltschaden verursachen. Hierzu gehört die Wasserkraft, die das Land mit bedeutenden Energiemengen versorgt. Auf dem Bild das Kraftwerk Älvkarleby im Dalaälv, erbaut 1911—1915.

La politique énergétique de la Suède a pour but de limiter sa dépendance pétrolière tout en se soustrayant peu à peu au nucléaire. Le gouvernement veut donner la priorité aux systèmes d'énergie se fondant sur des sources énergétiques durables, de préférence renouvelables, nationales et qui seraient les moins polluantes possibles. La houille blanche qui appartient à ces dernières, apporte à la Suède de notables quantités d'énergie. Voici une vue de la centrale électrique de Älvkarleby à Dalälven, bâtie de 1911 à 1915.

Sveriges skogsareal är 230.000 kvadratkilometer. Det betyder storslagna, vida skogar, med insprängda sjöar och vattendrag. Förutom vilda djur finns här "det gröna guldet" – en stor del av landets samlade export består av skogsprodukter, såväl virke som förädlat till papper i olika former. Den stora bilden är tagen i ***Värmland*** *med sjön Fryken glimmande mellan granar, tallar och björkar. Lilla bilden: Den svenska sagans käraste figur är Tomten, en liten varelse som sägs ha sin hemvist i de stora skogarna. Han vill alla väl och är särskilt omhuldad i jultid och uppträder då som barnens vänliga välgörare. Tomten på julkortet från 1912 är målad av Jenny Nyström.*

Sweden has 230,000 square kilometres of forests. This means magnificent deep forests interspersed with lakes and waterways. In addition to wild animals it is here that we find the "green gold" – a large proportion of the country's exports consists of forest products, including timber and processed goods such as various kinds of paper. The large picture was taken in Värmland and shows Lake Fryken. Small picture: Robin Goodfellow is the best-loved figure of Swedish mythology and he is said to live in the deep forests. He is particularly cherished at Christmastime, when he acts as the children's friendly benefactor. The one on this Christmas card is from 1912.

Schweden hat 230 000 km² Wald. Das sind großartige, weite Wälder, in die Seen und andere Gewässer eingeflochten sind. Außer wilden Tieren gibt es hier „das grüne Gold" – ein großer Teil des gesamten Exports des Landes besteht aus Waldprodukten. Das ist Holz, sowie auch, veredelt, Papier in verschiedenen Formen. Das große Bild ist in Värmland am See Fryken aufgenommen worden. Kleines Bild: Die liebste Figur des schwedischen Märchens ist der *Tomte* (Wichtelmännchen), der seine Heimat in den großen Wäldern hat. Er tritt besonders zu Weihnachten als Wohltäter der Kinder auf. Der Tomte auf der Weihnachtskarte wurde 1912 von der Künstlerin Jenny Nyström gemalt.

La forêt couvre 230.000 km^2 de la Suède, ce qui signifie que l'on trouve de vastes et grandioses forêts parsemées de lacs et cours d'eau. A part les animaux sauvages, on y trouve «l'or vert» — une grande partie de l'exportation nationale consiste en produits de la forêt, tant en bois de construction que transformé en papier et en ses dérivés. La grande photo représente Värmland avec le lac Fryken scintillant entre sapins, pins et bouleaux.

Petite photo: Le personnage le plus aimé de la légende suédoise est le Lutin (Tomten), un petit être sensé habiter les vastes forêts. Il veut du bien à tous et on le choye plus particulièrement au temps de Noël, il joue alors le rôle de Père Noël auprès des enfants. Le lutin sur une carte de Noël de 1912 est peint par l'artiste Jenny Nyström.

Norrlands viktigaste exportvara vid sidan av järnmalm är skogsprodukter. Virket flottades förr på vattendrag men transporteras numera på lastbilar och tåg. Bilden under: inloppet till ***Hudiksvall*** *på Norrlandskusten. Fiskebodarna på båda sidor om Strömmingssundet hör till Hudiksvalls äldsta bebyggelse och utgör en av Sveriges mest genuina trästäder.*

Next to iron ore, forest products are Norrland's most important exports. In former days the timber was floated to its destination, but it is now transported by road and rail. Picture below: The entrance to Hudiksvall on the Norrland coast. The fishermen's huts on both sides of Strömmingssund are among the oldest buildings in Hudiksvall and are one of Sweden's most authentic wooden towns.

Norrlands wichtigste Exportgüter sind neben Eisenerz Waldprodukte. Früher wurde das Holz auf den Gewässern geflößt; heute haben Lastauto und Eisenbahn den Transport übernommen. Das Bild darunter: Die Einfahrt nach Hudiksvall an der norrländischen Küste. Die Fischerhütten zu beiden Seiten des Strömmingssunds gehören zur ältesten Besiedlung Hudiksvalls und gehören zu den originellsten Holzstädten Schwedens.

Le produit d'exportation le plus important du Norrland, après le minérai de fer, est le bois et ses dérivés. Les billes de bois qui autrefois étaient flottées, sont aujourd'hui transportées par camions et trains. Ci-dessous: l'entrée de Hudiksvall sur la côte du Norrland. Les entrepôts des pêcheurs situés des deux côtés de Strömmingssundet font partie des plus anciennes constructions de Hudiksvall et forment, en Suède, une des villes les plus originales bâties en bois.

Schweden — „Du alter, du freier, gebirgiger Norden!"

Wenn man auf einem Globus mit den Händen Nordamerika und Rußland verdeckt, findet man leicht Schweden im Norden Europas. Die Nachbarländer sind Norwegen im Westen, Finnland im Osten und Dänemark im Süden.

Über dieses Land schrieb der Altertumsforscher und Volkskundler Richard Dybeck ein Gedicht zu einem Volkslied aus Västmanland:

Du alter, Du freier, gebirgiger Norden,
du stiller, du freudenreicher, schöner!
Ich grüße dich freundlichstes Land dieser Erde,
deine Sonne, deinen Himmel, deine grünen Breiten.

Die Worte sind jedem Schweden bekannt, da sie die erste Strophe der Nationalhymne ausmachen. Dybecks Gedicht ist eine gute Zusammenfassung Schwedens — ein Land mit langer Geschichte. Schweden kann sich eines über 100 Jahre langen Friedens erfreuen. Eine lange kriegerische Geschichte wich allianzfreier Neutralität. Man kann Schweden mit einer Insel mitten in einem Meer von Pakten und Großmachtinteressen vergleichen. Dies bedeutet jedoch nicht, daß Schweden von der übrigen Welt isoliert ist. Die Regierung gab im Herbst 1990 klare Signale für einen Anschluß Schwedens an die EG, dem gemeinsamen europäischen Markt. Es hat einen bedeutenden Im- und Export und hat es sich zum Ziel gemacht ein Prozent des Bruttosozialprodukts für die Entwicklungshilfe abzuzweigen. Schweden ist schon seit langem das Sprachrohr der kleinen Staaten bei den UN. Schweden hat immer eine Politik der offenen Tür betrieben. Das Land machte am Ende des 2. Weltkrieges einen bedeutenden Einsatz mit seinen „weißen Bussen", um überlebende aus den KZ zu retten.

Rentierjäger, Bauern, Handwerker

Die ersten Fischer und Jäger kamen ca. 14000—7000 v. Chr. zur Küste Schonens im Süden — nach der letzten Eiszeit. Rentierjäger gab es hier seit 9000 v. Chr. Die Bohusküste wurde um 7000, Mittelschweden zwischen 5000 und 3000 v. Chr. bevölkert. Gleichzeitig lernte man das Land zu bewirtschaften. 1500 Jahre v. Chr. verwendete man neben Steinzeitgeräten auch Werkzeuge und Waffen aus Bronze. Tausend Jahre später wurden die ersten Gegenstände aus Eisen eingeführt. Dies ist bemerkenswert wenn man bedenkt, daß heute Stahl, Erz und Maschinenindustrie-Produkte Schwedens wichtigste Exportwaren sind. Aus dem Land, in dem sich einfache Jäger Messer und Äxte aus Eisen kauften, kommen nun Autos von Volvo und SAAB, die in alle Welt, größtenteils in die USA, exportiert werden.

Das Staatsgebiet Schwedens ist mit ca. 450 000 km² eines der größten Europas; demographisch jedoch weit unten auf der Skala, passierte es erst 1970 die 8 Millionen-Grenze — eine Verdoppelung seit 1863. Nun gibt es hier 8,3 Millionen Menschen, die sich nicht zu drängen brauchen. Nur 20 Schweden müssen sich 1 km² Land teilen.

Auswanderung — Einwanderung

Die Bevölkerungszunahme ist durch verschiedene Umstände beeinflußt worden. Als Schweden in der zweiten Hälfte des 19. Jh. mehrere Jahre unter Mißernten litt, emigrierten gut eine Mill. Menschen, meist nach Nordamerika. Der Höhepunkt lag bei 38 000 Menschen jährlich. Der Schriftsteller Vilhelm Moberg schilderte diese gewaltige Entvölkerung in seiner berühmten Romanreihe, (die Auswanderer, die Einwanderer, die Neusiedler und der letzte Brief nach Schweden) die auch verfilmt wurde.

Nach 1930 und besonders nach dem 2. Weltkrieg ist die Einwanderung größer als die Auswanderung. Anfang der siebziger Jahre kamen 29 000 Menschen hierher und 40 000 verließen das Land. Seitdessen haben sich die Zahlen wieder geändert: zwischen 30 000 und 40 000 Einwanderer jährlich, stehen 20 000 bis 30 000 Auswanderern gegenüber. Die Einwanderer aus den nordischen Ländern dominieren deutlich in der Einwanderungs-Statistik, 1981 gab es 171 994 Finnen in Schweden, wohl lag Jugoslawien mit 38 771 Immigranten an zweiter Stelle, jedoch belegten Dänemark mit 28 305 und Norwegen mit 25 352 die folgenden Plätze und verstärkten gemeinsam den im wesentlichen nordischen Einschlag. In jüngster Zeit haben die Flüchtlingsströme aus den Krisengebieten der Welt nach Schweden offensichtlich stark zugenommen.

Die Industrialisierung

Schweden hat sich von einem der ärmsten Länder Europas, nach dem 2. Weltkrieg, zu einem Wohlfahrtsstaat mit hohem Lebensstandard entwickelt.

Die klassischen Bauernhöfe mit ihrer traditionellen Vereinigung von Ackerbau und Viehzucht haben sich verändert und stark vermindert. Heute setzt man entweder auf Ackerbau oder auf Viehzucht, auf großen Flächen und Tierfarmen mit Gewinn als Hauptziel. Die Verwandlung der schwedischen Gesellschaft ist auf eine umgreifende Industrialisierung zurückzuführen. Durch die gradweise Rationalisierung, dem Ausbau des Eisenbahnnetzes (vor allem seit 1870) entstand ein Bevölkerungsüberschuß auf dem Lande. Die Menschen zog es in die Städte und Orte mit Hüttenindustrie, wo sie in der wachsenden Industrie Arbeit bekommen konnten, in Bergwerken, im Wald, in Sägewerken, in Holzstoffabriken und in Werkstätten. Während des ganzen 20. Jh. sind Land- und Waldwirtschaft jedoch schrittweise zurückgegangen. Stattdessen nahm die Anfertigungsindustrie bis 1960 zu. Danach kam eine Veränderung: Für Schweden kam eine postindustrielle Periode, in der Verwaltungs- und Dienstleistungsberufe auf Kosten der traditionellen Industrie wachsen, ein internationaler Vergleich zeigt, daß nur etwa ein halbes Dutzend Länder ein größeres Dienstleistungsgewerbe als Schweden hat.

Die Wohlfahrtsgesellschaft

Lange Zeit (1932—1976) wurde Schweden von einer sozialdemokratischen Regierung geführt, die es sich zum Ziel gemacht hatte, ein sog. Volksheim mit sozialer Geborgenheit zu schaffen. Dies gelang — Hand in Hand mit der industriellen Entwicklung kam der Wohlstand in immer breitere Bevölkerungsschichten. Hierzu verhalf auch eine sehr stabile Situation auf dem Arbeitsmarkt. Ein Vertrag zwischen den Arbeitnehmer- und Arbeitgeberorganisationen bahnte 1938 den Weg in eine — im großen und ganzen — ruhige Wirtschaft zugunsten aller.

Wie auch in anderen Ländern entstanden in Schweden wärend den internationalen Ölkrisen schwere ökonomische Probleme. Das Land ist stark vom Öl abhängig, und die Preiserhöhungen auf dem Weltmarkt leerten auch hier den Juliusturm.

Auch der Arbeitsmarkt war angestrengt. Die fetten Jahre hatten die Erwartungen auf ständig steigende Löhne und Vergünstigungen hochgeschraubt. Das Manko, entstanden durch schlechte Geschäfte des Staates, eine negative Handelsbalance konnte nur durch jahrelange Auslandskredite ausgeglichen werden. Wie so viele andere Länder kaufen auch die Schweden gern ausländische Waren. Im Hinblick auf Fernseh- und Videoausrüstung kommt Schweden nach den USA auf den zweiten Platz.

Die politsche Veränderung

Als Ministerpräsident Palme 1976 die Macht an eine bürgerliche Koalitionsregierung mit Thorbjörn Fälldin — Centrum Partei — verlor, nahm man dies zum Zeichen, daß Schweden politischer Veränderungen und Erneuerungen bedurfte. Die bürgerliche Regierungsperiode wurde 1982 durch Olof Palme wieder beendet. Nach den Wahlverlusten folgte innerhalb der sozialdemokratischen Partei eine lange ideologische Debatte. Tendenzen bei den letzten Wahlen haben gezeigt, daß es den Sozialdemokraten schwergefallen ist, wie früher die breite Masse in der Gesellschaft zu engagieren. Viele jüngere sind zu anderen politischen Gruppen übergewechselt, die u.a. die Bodenschätze verteidigen wollen und für eine bessere Umwelt kämpfen. In Bezug auf die Politik ist die Zukunft ungewiß, eine Reihe von Fragen hat die Gesellschaft in zwei gleich große Blöcke gespalten. Bei einer dieser Fragen ging es um die Bildung sog. Arbeitnehmer-Fonds — zu denen gewinnträchtige Unternehmen Mittel zuschießen müssen. Sinn der Sache ist es, durch Aktienkäufe an der Börse die Wirtschaft mit Kapital zu versehen. Von der bürgerlichen Opposition dagegen wird behauptet, daß dies der erste Schritt zur Übernahme der Produktionsmittel sei; und um den Gewerkschaften die Möglichkeit zu geben die Wirtschaft zu übernehmen.

Auch wenn es in der Politik starke Gegensätze gab, so ist doch die soziale Situation stabil. Manchmal wird über die hohen Steuern geklagt, aber man bekommt auch etwas für sein Geld. Auch wenn das System seine Mängel hat, sorgen in Schweden trotzdem effektive Gesetze für Kinderfürsorge, allgemeine Rente, Krankenpflege und für eine Reihe andere soziale Vorzüge.

Zutiefst erschüttert wurde jedoch die ganze Nation, als spät in der Nacht zum 1. März 1986 mitgeteilt wurde, daß der Ministerpräsident Olof Palme der Kugel eines Attentäters zum Opfer gefallen war. Er befand sich mit seiner Frau zu Fuß auf dem Heimweg nach einem Kinobesuch. Die Nachricht vom tragischen Schicksal des Ministerpräsidenten fand in der ganzen Welt Beachtung. Seine Beisetzung wurde zu einem Apell für Frieden und Gerechtigkeit; ganz in Übereinstimmung mit dem Bestreben, das er zu seinen Lebzeiten unermüdlich ausdrückte. Nachfolger Olof Palmes wurde der stellvertretende Ministerpräsident Ingvar Carlsson.

Das Königreich Schweden

In Schweden ist die Königswürde seit 1544 erblich. Staatsoberhaupt ist König Carl XVI. Gustaf, seit dem 15. Juni 1976 mit Silvia, geb. Sommerlath verheiratet, die jetzt Königin von Schweden ist. Die Familie hat drei Kinder: Kronprinzessin Victoria, Prinz Carl Philip und Prinzessin Madeleine. Der König und die Königin haben ihre Arbeits- und Audiensräume im Stockholmer Schloß. Privat wohnt die Familie im Schloß Drottningholm — außerhalb der Stadt. Der König hat keine wirkliche Macht im heutigen Schweden. Seine wichtigste Aufgabe ist es, zusammen mit der Königin das Land zu repräsentieren. Dies bezeugen erfolgreiche Staatsbesuche in den USA, Japan, der Sovietunion und einer langen Reihe anderer Länder.

Der König Carl Gustaf hat sich außerhalb der Politik für eine Reihe sozialer Fragen interessiert. Besonderes Gewicht legt er dabei auf Natur- und Wildpflege, auch auf internationaler Ebene. In Verbindung mit seiner Hochzeit bildete das Königspaar einen Fond zugunsten behinderter Jugendlicher.

Königtum und Demokratie — wie funktioniert das in der Praxis? Die Antwort: ganz vorzüglich, obwohl die Abschaffung der Monarchie auf dem Programm der Sozialdemokratischen Partei steht, wäre es heute unmöglich die bestehende Ordnung zu ändern. Die Mehrheit des schwedischen Volkes möchte die Monarchie bewahren — dies kommt vor allem zum Ausdruck, wenn der König seine offiziellen Reisen durch das Reich macht, die sog. Eriksgator. Dies sind königliche Inspektionsreisen, die an mittelalterliche Bräuche anknüpfen. Der König wurde seinerzeit in jeder Provinz für sich gewählt. Da wird gefeiert — mit Flaggen, Bürgeraufwartung — auch Besuche bei Unternehmen und Instituten gehören dazu.

„Die Leute wollen gerne zeigen, was sie geschaffen haben und worüber sie stolz sein können," sagte der König als er einmal gefragt wurde, ob die Reisen noch zeitgemäß seien.

Das Nobelfest im Dezember ist das vornehmste unter den turnusmäßigen Ereignissen. Auch der beliebte Onkel des Königs, Prinz Bertil und Prinzessin Lilian, sowie die Schwester des Königs, Prinzessin Christina, Frau Magnuson, sind bei der Preisverleihung und dem anschließenden Bankett anwesend.

Industrie und Handel

Neben dieser glanzvollen Welt gibt es auch den Alltag — fleißiges Schalten und Walten um Heim und Familie versorgen zu können. Die zehn größten Unternehmen sind: Volvo, Electrolux, ASEA, Saab-Scania, SKF, Sandvik, Atlas Copco, Alfa Laval, Fläkt und Tetra Pak. All diese Firmen kommen für den wichtigen Export auf. Hinzuzufügen wären die bedeutenden Holz-, Stahl- und Bergwerksindustrien samt eine lange Reihe hochspezialisierter Unternehmen, die Schweden weit über dessen Grenzen bekannt gemacht haben. Ein Beispiel ist das Kamerawerk Hasselblad in Göteborg, das den amerikanischen Astronauten zu phantastischen Bildern verhalf. Eine dieser —

während einer Expedition verlorenen Kameras — soll noch heute als Satellit im Weltall umherschwirren.

Auf vielen Gebieten, die von der Mikroelektron- bis zur Biotechnologie reichen, haben schwedische Firmen bedeutende Fortschritte gemacht, die nun zum Exportertrag beitragen. Die Elektronen-Unternehmen Erikson, Philips Svenska, IBM-Sverige und Luxor haben zusammen einen Jahresumsatz von 30 Milliarden SEK bei 70 000 Jahresarbeitnehmern. Sie alle haben konkurrenzkräftige Erzeugnisse mit gutem Absatz in der Welt.

Schwedens wichtigste Export-Handelspartner sind die BRD, Großbritannien, Norwegen, Dänemark, Finnland, die USA, Frankreich, die Niederlande und Italien. In diese Länder schickt Schweden u.a. Papier, Pappe und Autos von Volvo och Saab. Am wichtigsten für den Import sind die BRD, Großbritannien, die USA, Finnland, Norwegen, Dänemark, Saudi-Arabien, Frankreich, die Niederlande und Japan. Autos, Mineralöl, Büromaschinen und Fernsehausrüstung dominieren den Import. Interessant sind auch seit einigen Jahren neue Handelspartner wie z.B. China — allgemein als Zukunftsland für den schwedischen Export betrachtet. Ein nicht zu unterschätzendes Faktum im Wirtschaftsleben ist Schwedens Neutralität.

Der Naturschutz

Das Leben dreht sich nicht nur um Geschäft, Arbeit und Ökonomie. Viele andere Dinge tragen zu einer hohen Lebensqualität bei. Schweden hat Naturschätze von unersetzlichem Wert — eine Natur, die vielleicht die schönste auf Erden ist. Hier gibt es noch saubere Seen und Wasser, unberührte Urwälder und Gebirgsgegenden — kurz ein Naturkapital, das man in vielen anderen Länder vermißt, Schwedens Hauptstadt Stockholm, mit gut 1 Million Einwohner, ist von Schären und einer Natur umgeben, die ihresgleichen sucht. Mehr als 25 000 Inseln und Schären bilden ein Erholungsgebiet, das für alle ausreicht, die von einer entlegenen Klippe oder Bucht träumen.

Man muß jedoch auch feststellen, daß es Faktoren gibt, die eine Gefahr für die Natur darstellen. Luftverschmutzung durch Industrie und Verkehr steigern den Säuregehalt und bedrohen somit Seen und Wälder. Ein Teil des Giftes kommt leider mit Wind und Wasser aus unseren Nachbarländern im Süden, Osten und Westen. Jedoch der Meinungsdruck in Europa gibt jetzt eine gewisse Hoffnung für die Zukunf. Man sieht ein, daß die Umweltzerstörung auch ein internationales Problem ist, das gemeinsam gelöst werden muß.

Die militärische Verteidigung

Eine andere Quelle der Unruhe sind die Kränkungen schwedischen Territoriums durch andere Länder. Die Ostsee früher „Meer des Friedens" genannt, ist seit langem ein Mobilmachungsfeld der Großmächte gewesen — eine bedrohliche Realität für die schwedische Verteidigung. Immer wieder sind Schwedens Grenzen durch spionierende U-Boote verletzt worden. Es ist fast unmöglich die 7642 km lange Küste zu überwachen; stattdessen hat man versucht, das Problem auf diplomatischem Wege zu lösen. Der öffentlichen Meinung genügen diese Maßnahmen zum Teil jedoch nicht — man wünscht stärkere Einsätze, um diesen Zwischenfällen ein Ende zu bereiten. Mann kann nur hoffen, daß Schweden in Frieden leben kann, und daß die politische Veränderung — die Sowjetunionen hat z. B. versprochen ihre kärnwaffenbestückten Schiffe in der Ostsee zu verschrotten — die Situation radikal verändern wird.

Der Reichtum der Natur

Bei Reisen durch Schweden kann man immer wieder feststellen, wie schön und vielfach wechselnd die Natur ist. Die wogenden Getreidefelder in Schonen, die blankgeschliffenen Klippen und das blaue Meer an der Westküste, das üppige Grün in Sörmland, die tiefdunkelgrünen Wälder in Värmland — hier gibt es Landschaften fast jeder Art. Eine Reise auf der „E4" in Richtung Norden ist auch ein Erlebnis. Die Küstengebiete am Bottnischen Meerbusen — besonders die Steilküste — bieten großartige und hinreißende Aussichten. Echte Dramen erlebt man im zentralen Norr- und Västerbotten, den weiten Gebieten der Samen. Hier streichen Elch und Rentier durch die Lande — jagen Bär und Vielfraß. Für den Naturfreund gibt es hier Sommer wie Winter alles, was er sich wünschen kann. Wer kann dem Zauber widerstehen auf Skiern die Felshänge hinabzugleiten oder in der Wildnis von Lannavaara Gold zu waschen. Hier gibt es alle Möglichkeiten zur Erholung. Unser Recht zum Gemeinbrauch macht die Natur allen zugänglich. Diese letzte Wildnis Europas soll unseren Nachkommen vererbt werden. Es ist deshalb wichtig den Verschleiß niedrig zu halten, so daß diese Werte noch bestehen, wenn Mitteleuropas Wälder den Auto- und Industriegebieten zum Opfer gefallen sind.

Das Land des Touristen

Wer zum erstenmal nach Schweden kommt, landet wahrscheinlich in Arlanda, Stockholms Flughafen 40 km nördlich der Haupstadt. Andere Möglichkeiten sind die Hafenstädte Malmö, Trelleborg oder Göteborg. Es gibt gute Verkehrsverbindungen überall hin, auch wenn man ohne Auto reist. Die Straßen sind gut und es herrscht Rechtsverkehr. Auch mit der Unterkunft gibt es kaum Probleme; ganz gleich, ob man große oder kleinere Hotels wählt. In Stockholm sind in den letzten Jahren mehrere große Hotels gebaut worden.

Das Essen in Schweden

Dem schwedischen Essen muß ein eigenes Kapitel gewidmet werden. Hier ist die Domäne des skandinavischen Bufetts; doch hat der Schwede heute seine Eßgepflogenheiten — bedingt durch Einwanderung und Tourismus — auch geändert. Stockholm ist stolz auf seine Restaurants, von denen einige sogar im „Guide Michelin" erwähnt werden. Ein wahrhaftiger Tempel für Schlemmer und Kulturfreunde ist Stockholms Oper, belegen im Westen des Gebäudes, in Richtung auf den Gustav Adolf Platz und den Palast des Erbfürsten. Im anderen Teil ist der Opernkeller, ein bekanntes Restaurant bester Art. Hier waltet Werner Vögeli — Hofgastwirt — mit seiner vielen geschickten Köchen. Der gebürtige Schweizer ist jetzt auch Hoflieferant des Königs, der sich auf Banketten mit schwedischen Speisen spezialisiert hat. Mit Gespür für Qualität hat er einheimische Rohwaren wiederentdeckt und auf die Speisekarte des Opernkellers gebracht. Natürlich bietet auch der Weinkeller nur das beste. Ein weiteres hervorragendes Restaurant ist das Wirtshaus Ulriksdal, einige Autominuten nördlich der Stadt belegen. Eine schöne Tradition im Wirtshaus, das beim Schloß Ulriksdal liegt, ist das

Einholen der Flagge bei Sonnenuntergang, wobei die Gäste stehend die Nationalhymne singen.

Hoch droben im Norden

Wir nehmen eine Maschine von SAS oder Linjeflyg nach dem Norden und landen in Kiruna — hier möchte ich einen Besuch in der nahen Ortschaft Jukkasjärvi empfehlen. Es gibt außer der Kirche mit berühmten Altargemälden ein Restaurant mit exotischem schwedischen Essen: Lax und Rentier — sehr verführerisch zubereitet. Auch Möglichkeit zu dramatischen Wildwasserfahrten auf Riesenflößen. Touren in die Wildnis mit Jagd und anderen Abenteuern stehen auf dem Programm.

Von Kiruna aus kann man eine schwindelnde Autofahrt durch Schwedens schönste Berggegenden machen. Die Straße führt zur „Riksgränsen" (Reichsgrenze) wo es ein komfortables Hotel gibt. von hier aus erreicht man leicht die nordnorwegische Stadt Narvik — eisfreier Ausfuhrhafen für schwedisches Erz.

Die oft erwähnte Mitternachtssonne gibt es wirklich. Wer Nordschweden im Vorsommer besucht, wird erleben, daß es nie dunkel wird. Man braucht auch nicht die Mücken zu fürchten. Wohl sind diese Ruhestörer manchmal zahlreich — man kann sich ihrer jedoch mit geeigneten Präparaten, und einem Birkenzweig, erwehren.

Musik und Museen

Kulturfreunde werden während ihres Schwedenbesuchs gut versorgt. Wer eine Oper von Mozart in einem Theater aus dem 17. Jh. erleben will, übrigens das älteste noch erhaltene in Europa, sollte das Drottningholms-Theater bei Stockholm besuchen. Solisten und Schauspieler aus Stockholm und internationalen Opernhäuser spielen hier. Gleichzeitig kann man auch Schloß Drottningholm und den Park in unmittelbarer Nähe des Theaters besuchen. Hier wohnt die königliche Familie. Die Aussicht, den König Carl Gustaf, Königin Silvia oder ihre Kinder während des Sommers zu sehen, ist gering. Sie wohnen dann nämlich auf Schloß Solliden auf Öland. Es gibt zu Drottningholms-Theater eine gute Alternative — nördlich Stockholm liegt „Confidencen" ganz in der Nähe des o.g. Wirtshauses Ulriksdal. Hier stehen interessante Stücke auf dem Programm, sowie Konzerte mit guten Künstlern in inspirierender Umgebung.

Wer sich für Kunst interessiert, kann seinen Hunger in Stockholms Museen stillen. Ein unterhaltendes Erlebnis ist es, außer dem „Nationalmuseum" und dem „Moderna Museet" den „Millesgården" zu besuchen, wo Werke des Bildhauers Carl Milles — in den USA bekannt durch seine monumentalen Werke — gezeigt werden. Viele Skizzen und Originale seiner weltberühmten Skulpturen sind hier zu sehen. Ein anderes geschätztes Freiluftsmuseum ist Skansen auf der Halbinsel Djurgården in Stockholm. Hier hat man das alte Schweden bewahrt, so z.B. Wohnhäuser und Gebäude von großem kulturgeschichtlichem Wert.

Das historische Kriegsschiff Vasa

Eine große Attraktion außer Skansen ist das Vasamuseum, in dem man ein geborgenes Kriegsschiff aus dem Jahre 1628 besichtigen kann. Es ist ein königliches Schiff, das bei seiner Jungfernfahrt, kurz nach dem Auslaufen, von einem Sturm erfaßt wurde und mit Mann und Maus sank. 1961 vom Meeresarchäologen Anders Fransén gefunden, konnte man es heben. Das Schiff wird jährlich von großen Besucherscharen bestaunt; erhalten ist es, dank des Umstands, daß es im hiesigen Wasser keine holzfressenden Würmer gibt.

In dieser schnellen Fahrt durch Schweden mußte ich aus Platzgründen viele interessante Dinge auslassen, die sich nicht auf diesen wenigen Seiten einfangen lassen. Ich hoffe, daß die Worte in Verbindung mit meinen Schwedenbildern zum Besuch locken oder als Andenken an einen durchgeführten Besuch dienen. Eines kann ich Ihnen versprechen — wer selbst das Land bereist, wird sehen, daß das Land wirklich so frei ung gebirgig ist, wie die Nationalhymne es beschreibt. Bezieht man hierzu die große Gastfreundlichkeit mit ein, können wir vielleicht eines Tages sagen: PROST UND WILLKOMMEN! Oder PROST AUF EIN WIEDERSEHEN!

Suède! «Terre antique et libre dressant tes hautes montagnes»

Si l'on tient un globe terrestre entre ses mains de façon que la gauche couvre l'Amérique du Nord et la droite, l'URSS, on trouvera facilement la Suède dans la masse de terre qui forme au nord de l'Europe, la péninsule scandinave. Les plus proches voisins de la Suède sont: la Norvège à l'ouest, la Finlande à l'est et le Danemark au sud.

A propos de cette contrée, l'archéologue et folkloriste Richard Dybeck a écrit un poème sur une mélodie populaire du département de Västmanland:

O Nord! terre antique et libre
dressant tes hautes montagnes,
toi paisible, toi pleine de joie,
je te salue, toi la plus accueillante
des contrées du monde, je salue
ton soleil, ton ciel, tes verts paysages.

Ces paroles sont connues de tous les Suédois puisqu'elles forment la première strophe de l'hymne national. Le poème de Dybeck résume bien la Suède, un pays qui a connu un déroulement historique plus que millénaire. Le pays peut se vanter d'avoir connu plus d'un siècle de paix: une longue histoire belliqueuse a cédé la place à une neutralité libre de toute alliance. Aussi peut-elle être comparée à une île battue par les flots des pactes et des intérêts contradictoires des grandes puissances, ce qui ne veut pas dire cependant que la Suède s'isole du reste du monde. Au cours de l'automne 1990, le Gouvernement suédois a manifesté le désir d'adhérer au Marché Commun Européen. Jouissant d'un commerce extérieur important, la Suède réserve 1% du produit national brut pour l'aide au tiers-monde. Selon une ancienne tradition, la Suède défend la cause des petits Etats aux Nations Unies et elle a toujours gardé une porte ouverte pour ceux qui cherchent asile.

Chasseurs de rennes, paysans, artisans

Nous n'avons pas l'intention de faire ici un cours d'histoire. Nous nous bornerons à constater que les premiers pêcheurs et chasseurs sont arrivés sur les côtes de Scanie, au sud du pays, à la fin de la première glaçation, vers 14 000—7 000 av. J.C. Les chasseurs de rennes ont apparu vers 9 000 av. J.C. Le littoral de Bohuslän était habité vers 7 000, le centre de la Suède entre 5 000 et 3 000. En même temps, les hommes ont appris à cultiver le sol. Vers 1 500 av. J.C., on employait déjà, à côté des outils de pierre, des instruments et des armes de bronze. Mille ans plus tard, les premiers objets en fer étaient importés. Il est intéressant de constater ce fait car, aujourd'hui, la Suède exporte surtout des aciers, des minerais et des machines-outils. De ce pays où le modeste chasseur achetait alors ses couteaux et ses hâches de fer, sont exportées aujourd'hui les voitures de Volvo et Saab au monde entier et surtout aux Etats-Unis, la patrie de l'automobile!

La Suède est, de par sa superficie, un des plus vastes pays de l'Europe — 450 000 km^2 environ. Quant à sa population, elle est assez peu importante, elle a dépassé les 8 millions en 1970, ainsi a-t-elle à peine doublé depuis 1863. Aujourd'hui, le chiffre est de 8 300 000 habitants, ce qui laisse à tous beaucoup d'espace vital: 1 km^2 environ pour 20 Suédois.

Emigration — immigration

L'accroissement de la population a été affecté de diverses façons. Lorsque la Suède, durant la seconde moitié du 19e siècle, a souffert de plusieurs années de mauvaises récoltes, plus d'un million d'habitants ont émigré, la plupart en Amérique du Nord. Au plus fort de l'émigration, 38 000 personnes par an, en moyenne, traversaient l'océan. Le romancier Vilhelm Moberg a décrit cet exode dans une série d'ouvrages *(Les Emigrants; La conquête du sol; Les colons du Minnesota; Dernier message au pays natal)* qui ont fait, du reste, le sujet de films. Après 1930 et particulièrement après la seconde guerre mondiale, le chiffre de l'immigration dépasse celui de l'émigration. Au début des années 1970, le phénomène s'est inversé — 29 000 personnes ont été accueillies dans le pays et 40 000 l'ont quitté. Depuis lors la situation a de nouveau changé — quelque 35 000 à 40 000 individus ont immigré chaque année alors que le chiffre de l'émigration variait entre 20 000 et 30 000 annuellement. Si l'on étudie les statistiques, on s'aperçoit rapidement qu'en haut de la liste se trouvent les immigrants des pays nordiques: en 1981, on comptait 171 994 Finlandais en Suède. En deuxième position viennent, il est vrai, les Yougouslaves totalisant 38 771 individus, mais il faut noter tout de suite après, les Danois (28 305) et les Norvégiens (25 352) qui ensemble renforcent notablement le contingent nordique. Au cours de ces dernières années, les réfugiés des différentes régions perturbées de la planète ont afflué vers la Suède.

L'industrialisation

Pour avoir été l'un des pays les plus pauvres de l'Europe, la Suède après la seconde guerre mondiale est devenue une contrée de bien-être jouissant d'un haut niveau de vie, peut-être même un des plus élevés du monde.

Les fermes classiques avec leur double vocation de culture et d'élevage ont beaucoup évolué, mais leur nombre a énormement diminué. Aujourd'hui, les agriculteurs misent plutôt sur la culture ou l'élevage, mieux, sur la culture extensive et l'élevage industriel avec le profit comme but premier. La grande industrialisation est à l'origine de l'évolution de la société suédoise. En rationalisant graduellement l'agriculture, en édifiant le réseau ferroviaire (surtout à partir des années 1870) est apparu un surplus de population rurale. Celle-ci s'est installée dans les villes et les zones industrielles où elle pouvait trouver du travail — dans les mines, l'exploitation forestière, les scieries, les usines de pâte à papier et les ateliers divers. Au cours du 20e siècle cependant, l'agriculture et l'industrie forestière ont vu disparaître une part importante de leurs emplois. En revanche, l'industrie de transformation a progressé jusqu'au début des années 1960, elle atteignait alors son apogée. Ce fut ensuite un changement de cap: la Suède entrait dans la période post-industrielle qui se distingue par le fait que la gestion et le secteur tertiaire (les services) se développent aux dépens de l'industrie traditionnelle.

Une comparaison internationale montre que seuls une demi-douzaine de pays ont un secteur tertiaire plus développé que celui de la Suède.

La société de bien-être

Durant de nombreuses années (1932—1976), la Suède a été gouvernée par les sociaux-démocrates dont la grande ambition était de fonder un «foyer national» et d'étendre la sécurité sociale à tous les citoyens. Et les sociaux-démocrates sont arrivés à leurs fins. En même temps que l'évolution industrielle, il y a eu un accroissement du bien-être et son extension à toutes les couches sociales. A cela, a également contribué la stabilité du marché du travail. Un accord signé en 1938 entre l'Organisation patronale et le Syndicat Central a ouvert le chemin à une vie économique plus calme et plus assurée autant au profit des travailleurs qu'à celui des employeurs.

Cependant, comme beaucoup d'autres pays, la Suède a rencontré des problèmes économiques qui ont sensiblement empiré avec les crises pétrolières internationales. La Suède est très dépendante du pétrole, et, les augmentations de son prix sur les marchés mondiaux ont durement frappé l'économie nationale. Le marché du travail en a été également très éprouvé. Les années fastes avaient créé des espoirs de salaires toujours en hausse et de nouveaux avantages. Malheureusement, les déficits dans les affaires de l'Etat et une balance commerciale négative ont obligé la Suède durant plusieurs années à augmenter ses emprunts à l'étranger. Tout comme beaucoup d'autres pays riches dans le monde, la Suède et les Suédois achètent volontiers les produits de consommation durables à l'étranger (par ex. téléviseurs et magnétoscopes). Aujourd'hui, la Suède est le premier pays après les Etats-Unis à suivre cette voie.

Evolution politique

Quand le premier ministre social-démocrate Olof Palme a perdu les élections de 1976 au profit de Thorbjörn Fälldin, dirigeant du parti du Centre et chef d'une coalition gouvernementale de droite, la population a perçu cette mutation comme le signe d'un besoin de changement et de renouvellement dans la vie politique du pays. Ce gouvernement a duré jusqu'en 1982, au moment où Olof Palme a de nouveau occupé le poste de premier ministre. Au sein du parti social-démocrate de longs débats idéologiques ont suivi les pertes des élections. Les tendances des derniers scrutins ont montré que les sociaux-démocrates avaient eu plus de difficultés qu'auparavant à convaincre son électorat traditionnel. En effet, beaucoup de jeunes s'étaient tournés vers d'autres groupements politiques qui s'étaient donnés pour but de protéger la nature et se battre pour un meilleur environnement. Du point de vue politique, l'avenir demeure incertain, car bien des questions partagent les électeurs en deux blocs égaux. L'une de ces questions concerne la création des «fonds salariaux». Il s'agit de former des capitaux par des prélèvements sur les bénéfices des sociétés.

Même si les confrontations sont âpres dans la vie politique, la situation sociale, en général, reste stable en Suède. On entend quelquefois les citoyens se plaindre des impôts élevés, il faut cependant préciser qu'ils «en ont pour leur argent» et même si le système présente des lacunes, la Suède a, malgré tout, des lois efficaces concernant la protection de l'enfance, la retraite, la sécurité sociale et bien d'autres avantages sociaux.

Mais toute la nation a été profondément choquée lorsque, tard dans la nuit du ler mars 1986, elle apprit que le premier ministre Olof Palme avait été victime d'un attentat et qu'il était tombé sous les balles d'un tueur, alors qu'il rentrait à pied chez lui avec sa femme, après une soirée au cinéma. La nouvelle de la fin tragique du premier ministre a retenu l'attention du monde entier sur cet événement. Ses obsèques se sont transformés en un appel en faveur de la paix et de la justice, tout à fait dans la ligne de l'effort infatigable dont il a donné l'exemple sa vie durant. A Olof Palme a succédé Ingvar Carlsson, le vice premier ministre.

Le royaume de Suède

Depuis 1544, la Suède est un royaume héréditaire. Aujourd'hui, le chef de l'Etat est le roi Carl XVI Gustaf, marié le 19 juni 1976 à Silvia née Sommerlath, maintenant reine de Suède. La famille royale a trois enfants — la princesse héritière Victoria, le prince Carl Philip et la princesse Madeleine. Le roi et la reine ont leurs bureaux et leurs salles d'audience dans le château de Stockholm, leur résidence privée se trouve au château de Drottningholm, dans les environs de la capitale. Le roi Carl Gustaf n'a pas de pouvoir politique réel dans la Suède d'aujourd'hui. Son principal devoir, avec la reine, est de représenter la Suède à l'étranger. Leurs visites officielles très fructueuses aux Etats-Unis, au Japon, en URSS et dans un grand nombre de pays européens en témoignent.

Le roi Carl Gustaf s'est intéressé à un certain nombre de questions sociales en dehors de la politique, en particulier à la sauvegarde de la nature et des animaux sauvages, même au plan international. A l'occasion de son mariage, le couple royal a créé un fond au profit des jeunes handicapés. Il est distribué chaque année.

Monarchie et démocratie suédoises, comment fonctionnent-elles dans la pratique? Réponse: parfaitement. Quoique le parti social-démocrate ait la suppression de la monarchie dans son programme, il est impossible aujourd'hui d'essayer de modifier l'état des choses. La majorité du peuple suédois veut conserver la monarchie, c'est ce qui ressort clairement des voyages du couple royal à travers le pays. On nomme les déplacements officiels dans les différents départements, «les chemins d'Erik». C'est une sorte de tournée d'inspection royale au milieu d'un grand concours de population. La tradition remonte au Moyen Age, lorsque le roi se faisait élire par chaque province séparément. Aujourd'hui encore, ces voyages donnent lieu à des festivités avec drapeaux, réceptions officielles, visites dans les entreprises et institutions diverses et bien d'autres manifestations.

— Les gens aiment montrer ce qu'ils font et ce dont ils peuvent être fiers, disait le roi Carl Gustaf en réponse à la question de savoir si les «chemins d'Erik» avaient encore un sens aujourd'hui.

De toutes les manifestations annuelles où la famille royale est présente, la remise du Prix Nobel en décembre est la plus solennelle. L'oncle du roi, le très populaire prince Bertil et son épouse, la princesse Lilian, participent souvent aux cérémonies. La soeur du roi, la princesse Christina devenue Madame Magnuson par son mariage, est aussi présente à la distribution des Prix, à la Salle des Concerts de Stockholm, puis au dîner de gala qui suit à l'Hôtel de Ville.

Industrie et commerce

A côte de ce monde brillant, demeure cependant le quotidien — le Suédois qui travaille laborieusement pour son pain, sa maison et sa famille.

Les dix plus grandes entreprises nationales sont: Volvo, Electrolux, ASEA, Saab-Scania, SKF, Sandvik, Atlas Copco, Alfa Laval, Fläkt et Tetra Pak. Toutes travaillent beaucoup pour l'exportation. A ces sociétés ajoutons les très importantes industries du bois, celles qui exploitent les mines ou fabriquent les aciers ainsi qu'une longue liste d'entreprises hautement spécialisées qui ont fait la réputation de la Suède dans la monde. Hasselblads qui fabrique des appareils de photographie est un exemple de réussite industrielle. Ses produits ont acquis une réputation mondiale, depuis que les astronautes américains s'en sont servis pour prendre leurs fantastiques photos du cosmos. Il paraît que l'un de ces appareils, perdu au cours d'une expédition, gravite toujours comme un satellite dans l'espace.

Un grand nombre d'entreprises suédoises ont connu le succès dans des domaines allant de la micro-électronique à la biotechnique. Quatre grandes sociétés spécialisées dans l'électronique: Ericsson, Philips Svenska, IBM Sverige et Luxor emploient ensemble plus de 70 000 personnes et font un chiffre d'affaires annuel de près de 30 milliards de couronnes ou francs. Toutes quatre ont développé des produits de qualité qui sont appréciés et vendus à des prix compétitifs partout dans le monde.

Les principaux clients de la Suède sont la RFA, la Grande-Bretagne, la Norvège, le Danemark, la Finlande, les Etats-Unis, la France, les Pays-Bas et l'Italie. La Suède vend à ces pays, entre autres produits, du papier et les voitures de Volvo et de Saab. En ce qui concerne les importations, les principaux partenaires de la Suède sont aussi ceux que nous avons cités, auquels nous ajouterons l'Arabie Saoudite et le Japon. Nous leur achetons surtout des produits tels que des voitures, du pétrole, des machines de bureau et des appareils de télécommunication. Il est aussi intéressant de constater que la Suède a trouvé, ces dernières années, de nouveaux partenaires commerciaux, la Chine notamment, qui est généralement considérée comme un marché d'avenir pour les produits suédois. Certaines affaires ont été conclues justement parce que la Suède est un des rares pays neutres du monde, argument que l'on a quelquefois tendance à négliger.

Protection de la nature

Mais la vie n'est pas uniquement question de négoce, de travail et d'économie. Il y a bien d'autres éléments qui contribuent d'une manière évidente à la qualité de l'existence. La Suède possède des richesses naturelles d'une valeur irremplaçable — et ses paysages sont parmi les plus beaux du monde. On y trouve encore des lacs et des rivières aux eaux limpides, des forêts plusieurs fois séculaires, intactes, et des régions montagneuses; en résumé, un capital naturel qui manque aujourd'hui à bien des nations. Stockholm, la capitale, avec un peu plus d'un million d'habitants, est entourée d'une nature et d'un archipel sans pareil. Il se compose de plus de vingt-cinq mille îles et îlots qui forment une aire de loisirs assez spacieuse pour que tous y trouvent un crique ou un rocher isolé au bord de l'eau.

Mais force est aussi de constater qu'il y a des facteurs qui menacent cette inestimable nature. La pollution due aux industries et aux voitures, est à l'origine des pluies acides qui mettent en danger les forêts et les lacs. Une partie de cette pollution est malheureusement apportée par le vent et l'eau de nos voisins du sud, de l'est et de l'ouest. Toutefois, la pression grandissante de l'opinion en Europe, donne aujourd'hui quelque espoir pour l'avenir.Tous ont compris que les problèmes écologiques sont aussi des questions internationales qu'il faut résoudre ensemble.

La défense militaire

Les violations du territoire suédois par des puissances étrangères sont une autre source d'inquiétudes. La mer Baltique, naguère appelée «la mer de la paix», est depuis longtemps un lieu de tensions internationales et une dure réalité pour la défense suédoise. A plusieurs reprises, des sous-marins étrangers ont violé les eaux territoriales. Ainsi, ont-ils pu observer de près les ports et les systèmes de défense côtière. Les ressources dont dispose la Suède pour surveiller efficacement ses quelque 7642 km de côtes sont limitées. Le gouvernement préfère résoudre le problème par voie diplomatique. Toutefois, beaucoup pensent en Suède, que les efforts déployés par les autorités pour arrêter ces sérieux incidents sont insuffisants. On peut cependant espérer que la Suède pourra continuer à vivre en paix et que le changement politique qui, entre autres, a amené l'Union Soviétique à promettre la destruction de tous ses vaisseaux porteurs d'armes nucléaires dans la mer Baltique, changera radicalement la situation.

Les richesses de la nature

Au cours des voyages que j'ai effectués à travers la Suède afin de composer cet ouvrage, j'ai souvent été frappé par la beauté et le diversité de la contrée. On y découvre presque tous les types de paysages — la Scanie avec ses champs de blé ondoyants, la côte ouest avec ses rochers polis par les vagues, la riche verdure de Sörmland et les forêts profondes de Värmland. Suivre la route E4 apporte aussi son cortège de découvertes et sensations inédites. Les régions côtières de la Baltique et particulièrement entre Sundsvall et Örnsköldsvik (Höga Kusten) présentent des paysages grandioses et séduisants. Mais c'est à l'intérieur de Västerbotten et Norrbotten que l'on rencontre les sites les plus pittoresques — le vaste domaine des Lapons. Là s'ébattent librement les élans et les rennes, là chassent les ours et les carajous (un mustélidé). Les amateurs de plein air y trouvent tout ce qu'ils peuvent désirer, hiver comme été. Qui peut résister au charme de glisser en ski le long des pentes enneigées ou extraire des paillettes d'or par lavage dans les régions reculées de Lannavaara? Là, abondent les possibilités de se divertir utilement. Nos lois sur le droit du public de traverser les propriétés privées, mettent la nature à la portée de tous. Mais il est aussi essentiel de ne pas abuser de la nature que nous devons laisser en héritage aux générations futures. Ces dernières terres sauvages acquièrent une extrême valeur alors que les arbres et les forêts du reste de l'Europe meurent dans les échappements et les pollutions industrielles.

Le tourisme en Suède

Le visiteur qui vient pour la première fois en Suède, atterrit d'habitude à Arlanda, l'aéroport situé à 40 km de Stockholm. Les autres entrées sont les ports de Malmoe et de Trelleborg en Scanie ou la deuxième ville du pays par sa grandeur, Gothembourg, sur la côte ouest. Les communications sont bonnes en tous lieux, même pour ceux qui ne se déplacent pas en voiture. Les routes en Suède sont partout bien entretenues. On y circule à droite, comme dans le reste du monde, la Grande-Bretagne et quelques rares pays exceptés.

Le logement ne pose pas de difficultés majeures. Il y a un grand choix d'hôtels de toutes catégories. Par ailleurs, au cours de ces dernières années, on a bâti plusieurs grands hôtels à Stockholm.

La cuisine suédoise

La cuisine suédoise mérite un chapître à part — c'est ici la patrie du *smörgåsbord* mais, à vrai dire, les habitudes alimentaires des Suédois sont devenues très internationales aujourd'hui, phénomène dû à une importante immigration et au tourisme. Stockholm, et le reste du pays, peuvent offrir aussi bien des spécialités suédoises que des plats internationaux. La capitale s'enorgueillit d'un certain nombre de restaurants qui sont mentionnés dans la bible culinaire, le Guide Michelin. Le temple du goût, celui de la culture et du divertissement se trouvent réunis à l'intérieur du même bâtiment qui abrite le Théâtre Royal, c'est-à-dire l'Opéra de Stockholm. Dans la partie de l'édifice qui fait face à la Place Gustav Adolf et au Palais d'Arvfursten (Prince Héritier), sont montés opéras et ballets. Dans une autre aile, se trouve l'Operakällaren, un restaurant de grande renommée. Le maître de céans est Werner Vögeli, assisté de plusieurs chefs de talent. Vögeli, né en Suisse, aujourd'hui fournisseur du roi pour les dîners de gala, s'est spécialisé dans la cuisine suédoise. Avec un sens inné de la qualité, il a redécouvert les produits régionaux et rehaussé le prestige de la cuisine nationale en la plaçant au menu de son établissement. On y trouve aussi une cave des plus prestigieuses. Un autre restaurant renommé, Ulriksdals Värdshus (près du château d'Ulriksdal), est situé à quelques minutes au nord de la capitale. Au coucher du soleil se tient une cérémonie traditionelle: le salut aux couleurs aux accents de l'hymne national chanté par tous les clients au garde à vous.

Dans l'extrême nord

Envolons-nous avec SAS ou les lignes intérieures vers le nord de la Suède. En atterrissant à la ville minière de Kiruna, je voudrais vous recommander de visiter une petite localité toute proche: Jukkasjärvi. Vous y trouverez, en plus d'une intéressante église au rétable peint, une auberge qui présente un menu suédois rare comportant du saumon et du renne accomodés de diverses façons. Le voyageur aura aussi l'occasion de descendre les rapides sur de grands radeaux, faire des excursions dans ces régions sauvages, s'adonner à la chasse et vivre bien d'autres aventures.

Partant de Kiruna, on peut faire un merveilleux voyage en voiture dans les plus belles régions montagneuses de la Suède. La route mène à Riksgränsen où se trouve un hôtel moderne, tout confort. De là, on gagne facilement Narvik (au nord de la Norvège) dont le port est libre de glaces toute l'année. C'est de ce lieu que sont expédiés les minerais extraits des gisements suédois.

Le fameux soleil de minuit y est également une réalité. Ceux qui auront l'occasion de se rendre au nord de la Suède au début de l'été, ne connaîtront jamais la nuit. Il ne faut pas craindre les moustiques, non plus. Il est vrai que ces «trouble-fête» y abondent parfois, mais on les éloigne au moyen de produits adéquats ou d'une simple branche de bouleau.

Musique et musées

Pour les amis de la culture, ils trouveront en Suède de quoi alimenter leur passion. Allez au petit théâtre de Drottningholm qui date du 17e siècle (un des mieux conservés de cette époque), pour y écouter un opéra de Mozart. Les solistes et les acteurs de l'Opéra de Stockholm ainsi que des artistes de renommée internationale viennent s'y produire. Profitez de votre excursion pour admirer le palais et le parc de Drottningholm, non loin du théâtre. C'est la résidence ordinaire de la famille royale, mais il y a peu de chance de voir le roi, la reine ou leurs enfants durant les mois d'été. Ils habitent alors le château de Solliden à Öland.

Une bonne alternative au théâtre de Drottningholm est «Confidencen», au nord de Stockholm, tout près de l'Auberge d'Ulriksdal déjà mentionnée. On peut y suivre d'intéressantes pièces de théâtre et des concerts donnés par de grands artistes dans un vieux cadre culturel où souffle l'esprit.

Pour ceux qui s'intéressent à l'art, ils seront ravis de visiter les musées de Stockholm. Après avoir parcouru le Musée National et le Musée d'Art Moderne, il faut aller à la découverte de Millesgården où sont exposées les oeuvres du sculpteur Carl Milles, célèbre aux Etats-Unis, en particulier, pour ses monumentales sculptures. On peut y voir aussi les esquisses et les répliques de ses oeuvres mondialement connues. Skansen, à Djurgården (Stockholm), est un autre musée de plein air, très apprécié pour ses collections folkloriques. On y conserve, par exemple, des habitations et bâtiments anciens d'une haute valeur historique et culturelle.

Le vaisseau royal «Vasa»

Le Musée Vasa qui renferme un navire de guerre de 1628, renfloué en 1961, est une autre attraction majeure. Il s'agit d'un bâtiment royal qui coula à son voyage inaugural. A quelques encablures du rivage, une rafale de vent coucha le navire qui sombra, corps et biens... Il a été retrouvé par un spécialiste de l'archéologie sous-marine, Anders Franzén, au fond de Strömmen, dans le port de Stockholm, et renfloué. Le Vasa attire un grand nombre de visiteurs de tous les coins du monde. Ce navire est un joyau unique qui s'est parfaitement conservé à travers les siècles grâce à l'absence de tarets dans les eaux de Strömmen.

Dans ce rapide voyage à travers la Suède, j'ai dû me résigner à écarter, par manque de place, bien des détails intéressants. Par ailleurs, il n'est pas possible d'exposer en quelques pages toutes les richesses du pays. J'espère que ces modestes notes accompagnées de mes photos, vous donneront envie de visiter la contrée, ou vous serviront d'aide-mémoire après votre voyage dans nos régions. Je peux cependant vous promettre que si vous venez chez nous, vous verrez par vous-même que le pays est tout aussi libre et aussi montagneux que l'hymne national le décrit. Si l'on ajoute à cela l'accueil chaleureux que nous vous réservons, nous aurons sans doute un jour l'occasion de vous dire: SKÅL OCH VÄLKOMMEN (santé et bienvenue) ou SKÅL OCH VÄLKOMMEN TILLBAKA (santé et bon retour parmi nous)!

Sveriges idrottsmän skapar goodwill för landet. Tennisstjärnan ***Björn Borg*** *vann under sin aktiva tid fler prestigetyngda tävlingar än någon annan, bland annat Wimbledon fem gånger i följd. Slalomåkaren* ***Ingemar Stenmark*** *skapade en ny stil i slalompisterna och har vunnit över 80 världscuptävlingar sammanlagt. Ingen kan göra honom äran stridig som den alpina skidvärldens störste.*

Swedish athletes generate goodwill for their country. Tennis champion Björn Borg won more prestigious contests in his day than any other player, including Wimbledon five times in succession. Slalom skier Ingemar Stenmark devised a new way of racing on the slalom slopes and has won more than 80 World Cup contests altogether. No one can dispute his status as the greatest figure in the alpine ski world.

Schwedische Sportler haben das Land durch ihre Einsätze in guten Ruf gebracht. Der Tennisstar Björn Borg hat während seiner aktiven Zeit mehr Wettkämpfe gewonnen als je ein anderer Spieler zuvor, u. a. fünfmal hintereinander Wimbledon. Der Slalomläufer Ingemar Stenmark kreierte einen neuen Stiel und hat insgesamt über 80 Weltmeisterschaftsläufe gewonnen. Keiner macht ihm streitig, in seiner Sportart der größte zu sein.

Les sportifs suédois donnent une image transcendante de la nation. La vedette du tennis, Björn Borg, a gagné, durant sa carrière, plus de matches de prestige qu'aucun autre, notamment cinq fois en file le tournoi de Wimbledon. Le slalomeur Ingemar Stenmark a créé un nouveau style sur les pistes et a remporté plus de 80 coupes du monde. Personne ne pourra lui ravir la gloire d'être le plus grand skieur alpin.

*I **Lapplands** orörda vattendrag finns ädelfisk — öring, röding och harr — populära byten för sportfiskarna. Men idyllerna är hotade — de vindburna industrigifterna från Mellaneuropa och England kan spåras också i de klaraste fjällsjöar och strömmar.*

In the virgin watercourses of Lappland, fish such as trout, alpine char and grayling are the favourite quarry of anglers. But the idyll is threatened — wind-borne industrial pollution from Central Europe and Britain can be traced in even the clearest waters of mountain lakes and streams.

In Lapplands unberührten Wassern gibt es Edelfische: Lachsforelle, Saibling und Äsche — beliebte Beute der Sportangler. Doch die Idylle ist bedroht — mit dem Wind einkommende Industriegifte aus Mitteleuropa und England, können selbst im klarsten Gebirgssee und anderen Wassern festgestellt werden.

Dans les cours d'eau de Laponie, il y a des truites, des truites saumonées et des ombres qui sont les prises appréciées des pêcheurs sportifs. Mais ces endroits sont menacés par la pollution industrielle transportée par les vents de l'Europe continentale et la Grande-Bretagne. On en trouve traces même dans les cours d'eau et les lacs de montagne les plus limpides.

BGN 555
S

*Den storslagna naturen i **Norrbotten** lockar varje år stora skaror av turister. Det är numera också möjligt att med bil närma sig Sveriges vackraste fjällområden som här på vägen mellan Kiruna och Riksgränsen. Och den som lämnar bilvägarna och ger sig ut på fjällvidderna får sin belöning — färska solmogna hjorton.*

The magnificent scenery of Norrbotten attracts hordes of tourists every year. It is now possible to reach Sweden's most beautiful fell areas by car, as this picture of the road between Kiruna and Riksgränsen shows. And there are rewards awaiting those who leave the road and venture into the open fells — fresh, sun-ripened cloudberries.

Die großartige Natur in Norrbotten lockt jedes Jahr große Besucherscharen an. Es ist jetzt auch möglich mit dem Auto die schönsten Gebirgsgegenden zu besuchen, wie hier zwischen Kiruna und Riksgränsen. Wer aber die Straße verläßt, bekommt eine Belohnung — frische sonnenreife Moltebeeren.

La nature grandiose de Norrbotten attire chaque année de nombreux touristes. Il est également possible aujourd'hui d'atteindre les plus belles régions montagneuses de la Suède en voiture, comme on le voit sur le chemin entre Kiruna et Riksgränsen. Qui veut bien quitter la route pour ces étendues accidentées, trouvera sa récompense: des fausses-mûres gorgées de soleil.

*I nationalparken **Sareks** unika vildmark lever en kraftfull älgstam. Sjöarnas bottenväxter är omtyckt föda. I området finns också björn, lo, varg och järv. Ovan: I **Björkliden** i närheten av Abisko och den kända fjällformationen Lapporten finns världens nordligaste golfbana till glädje för Sveriges växande skara av golfentusiaster. Björklidenbanan har nio spännande placerade hål som tillfredsställer högt ställda spelarkrav.*

A hardy elk family has its home in the unique wilderness of the Sarek National Park. Elk are very partial to the vegetation growing on the bottom of lakes. Bears, lynx, wolves and wolverines are also found in the region. Above: To the delight of Sweden's growing number of golfers the world's most northerly golf course is in Björkliden, not far from Abisko and the well-known Lapporten fells. Björkliden is an exciting nine-hole course which satisfies the exacting demands of players.

In der wilden Gegend des Sarek-Nationalparks lebt ein kräftiger Elchstamm. Die Bodengewächse der Seen sind beliebtes Futter. Dort leben auch Bären, Luchse, Wölfe und Vielfraß. Oben: In Björkliden, in der Nähe von Abisko und der bekannten Bergkette Lapporten, gibt es den nördlichsten Golfplatz der Welt; zur Freude der wachsenden Schar von Golfspielern. Der Platz von Björkliden hat neun spannend angeordnete Löcher und stellt hohe Ansprüche an den Spieler.

Dans le parc national de Sarek, unique terre sauvage, vivent de robustes troupeaux d'élans. Les plantes aquatiques constituent leur nourriture préférée. Ours, lynx, loups et gloutons hantent la région. Ci-dessus: A Björkliden, près d'Abisko et de la fameuse formation montagneuse Lapporten, se situe le plus septentrional terrain de golf du monde, pour la plus grande joie de la cohorte croissante des «mordus» du golf en Suède. Le terrain comporte neuf trous habilement placés qui satisfont les exigences des joueurs les plus difficiles.

Fjällets färger skiftar med årstiderna. När sommaren med sina blommande örter övergår i höst, börjar de gula och rostbruna färgerna att dominera. Några veckor senare kommer de första frostnätterna och så småningom den första snön. Den svenska fjällregionen är ett viktigt rekreationsområde som särskilt sommar- och vintertid besöks av stora skaror turister.

The fells change colour with the seasons. When the flowering herbs and plants of summer fade and autumn approaches, the yellow and russet tones begin to dominate. The early night frosts arrive a few weeks later and are gradually followed by the first snowfall. The Swedish fell region is an important recreational area which, particularly in summer and winter, is visited by hordes of tourists.

Die Farben des Gebirges ändern sich mit den Jahreszeiten. Wenn der Sommer mit seinen blühenden Kräutern in den Herbst übergeht, beginnen die gelben und rostbraunen Farben zu dominieren. Einige Wochen später kommen die ersten Frostnächte und langsam auch der erste Schnee. Die schwedische Bergwelt ist ein wichtiges Erholungsgebiet, das besonders im Sommer und im Winter von großen Touristenscharen besucht wird.

Les couleurs de la montagne varient avec les saisons. Lorsque l'été avec son tapis de fleurs s'avance vers l'automne, les teintes jaune et rouille dominent alors. Quelques semaines plus tard, arrivent les premières gelées nocturnes et bientôt la neige est là. La région montagneuse de la Suède est un espace important de loisirs que la foule des touristes envahit particulièrement en été et en hiver.

Renskötsel är traditionellt den viktigaste inkomstkällan för samerna, Lapplands urbefolkning. Till de färgstarkaste upplevelserna i Lappland hör höstarnas renskiljning och slakt. Samerna driver ner renarna från betesmarkerna till rengärden nära de stora vägarna. Förr förvarades mat och färskvaror i visthus högt över marken (lilla bilden), i dag utnyttjas den moderna kyl- och transporttekniken också när det gäller renhanteringen.

Reindeer-keeping is traditionally the most important source of income of the aboriginal Laplanders. One of the most colourful and spectacular events to be witnessed in Lapland is the autumn reindeer sorting and slaughtering. The Lapps drive the herds down from the pastures to enclosures close to the major roads. In former times food and other perishable goods had to be stored in provision huts high above the ground (small picture), but today modern refrigeration and transportation methods are also used in reindeer management.

Rentierzucht ist traditionell die wichtigste Einkommensquelle für Lapplands Urbevölkerung, die Samen. Zu den eindrucksvollsten Erlebnissen im Herbst, in Lappland, gehört das Aussortieren und Schlachten der Rentiere. Die Samen treiben die Rentiere von den Weiden in Gehege an den größen Straßen. Früher wurden Frischwaren in sog. Visthäusern hoch über der Erde verwahrt (kleines Bild); heutzutage wird auch im Umgang mit Rentieren die moderne Kühl- und Transporttechnik verwendet.

L'élevage des rennes est traditionnellement la plus importante source de revenus des Lapons, la population originelle du Nord. La séparation et l'abattage des rennes en automne constituent des événements hauts en couleur. Les Lapons conduisent leurs bêtes des prairies aux enclos près des grandes routes. Autrefois, les gens conservaient les aliments et les produits frais dans des magasins de vivres placés bien au-dessus du sol (petite photo). Aujourd'hui, ils profitent aussi des techniques modernes du froid et du transport en ce qui concerne l'industrie du renne.

*Höga fjäll och djupa dalstråk utmärker **Abiskofjällen** som är Lapplands lättillgängligaste område av detta slag. Faunan, floran och geologin har stort intresse och här avsattes redan 1909 en nationalpark. Genom järnvägen och riksväg 98 kan man lätt nå Abisko och Riksgränsen.*

High fells and deep valleys typify Abiskofjällen which is the most accessible area of its kind in the whole of Lappland. The fauna, flora and geology are highly interesting and a national park was set out here as early as 1909. Abisko and Riksgränsen are easy to reach by rail and road (map reference road No 98).

Hohe Berge — tiefe Täler charakterisieren die Bergwelt von Abisko, die Lapplands am leichtesten zugängliche dieser Art ist. Fauna, Flora und Geologie sind von großem Interesse; 1909 wurde hier ein Nationalpark eingerichtet. Mit der Eisenbahn oder über die Reichsstraße 98 kann man leicht Abisko und Riksgränsen erreichen.

Hautes montagnes et profondes vallées caractérisent la région accidentée d'Abisko qui est un lieu facile d'accès. La faune, la flore et la géologie sont fort intéressantes et dès 1909, la région était décrétée parc national. On atteint facilement Abisko et Riksgränsen par le chemin de fer et la route nationale 98.

Third, revised edition
Photos by the Author and
Satellitbild i Kiruna AB, page 4
Svenska filminstitutet, page 16
Roine Karlsson, page 25 (above)
Peder Nyman, page 25 (drawing by Ingrid Nyman)
John Lundgren, Strindbergsmuseet, page 25 (below)
Erhan Güner, pages 51, 75
Hans Hammarskiöld, pages 65, 68
Bengt Wanselius, pages 72, 73 (below)
Nationalmuseum, page 82
Jan Collsiöö, Pressens Bild, page 97 (above)
Jacob Forsell, Pressens Bild, page 97 (below)
Edvin Nilsson, page 102
English translation by William Plumridge
German translation by Horst Niewiadomski
French translation by M. and J.-J. Luthi
Produced by Anders Rahm Bokproduktion
Printed and bound by
Proost International Book Production
Turnhout, Belgium 1991

ISBN 91-582-1828-9

Sverige
2,40
B AF GEIJERSTAM
1983
M MÖRCK sc